出口汪

大学入試の漢字

最強編

漢字の決定版『金の漢字』・『銀の漢字』

常々漢字問題集の決定版ができないかと考えていました。なぜなら、既存の問題集は単なる漢字リストに過ぎず、とても実用的とは思えなかったからです。

共通テストを含めて、大学入試問題の現代文では、大抵は五問、十点の配点が設けられています。標準的な漢字力の持ち主ならば、五問中、四問くらいは正解できるものです。それならば、たった一問、あと二点程度のために、二〇〇〇程度の漢字を覚えなければならないのでしょうか？

実は難関大学ほど、漢字は基本的なものが出題されます。高校一年程度、中には中学レベルのものが多く出されるのです。しかも、英単語や古語と決定的に異なるのは、漢字を知らなくても文章は読めるということです。

こういった現状を踏まえて、本当に役に立つ漢字の問題集とは何かということを考えました。

まずはあなたの漢字力が問題です。

①標準的な漢字の問題で、五問中四問か、時には三問以下の正答率の人　⇓『銀の漢字』

漢字の問題でいつでも二～六点の失点があります。これは大きなハンディーなので、何とか挽回しなければなりません。

しかも、何も現代文だけでなく、他の教科の記述式問題や作文・小論文でも、誤字などにより減点される可能性が高いので、積もり積もれば大きな失点につながります。

漢字は一生の武器です。大学の卒業論文でも苦労するし、社会人になってからも恥をかくことが多いので、必ず丁寧に学習してください。

ただし、難易度の高い漢字はめったに出ませんから、簡単な漢字を確実にものにしましょう。

②標準的な漢字の問題で、全問正解か時には五問中四問の正答率の人　⇒『金の漢字』

完璧な漢字力養成を目標とするだけでなく、語彙力を徹底的に強化しましょう。そのためには例文を何度も読み、その中での漢字の意味や使い方をマスターします。

実際受験生の一番の悩みは語彙力不足なのです。語彙力が不足すると、現代文に限らず、あらゆる教科に悪影響を及ぼします。

実は評論用語を初めとする重要な語彙は、その大半が抽象、具体、止揚、概念など、二字熟語なのです。それ故、語彙力を増加するには、漢字の問題集（特に難易度の高いもの）が最適です。

高校一、二年、あるいは受験生の早い時期に『銀の漢字』を完成して、その後語彙力増強を目的に『金の漢字』に挑戦してください。高三の夏休み以降に始める人は、『銀の漢字』を徹底的にマスターしましょう。

漢字は普段から見慣れているものなので、大抵はどこかで見たことがあるはずです。だから、英単語や古語よりもはるかに覚えやすいものなのです。ただし、知っている気になっているが、いざとなったら書けない、読めないものも多いので、繰り返し学習することが必要です。

出口汪

金の漢字 目次

5 書き取り
- A問題 400 …… 6
- B問題 300 …… 46
- C問題 300 …… 76

107 読み
- A問題 100 …… 108
- B問題 100 …… 118
- C問題 100 …… 128

139 語彙問題
- 実践問題 60 …… 140
- 四字熟語 100 …… 160

214 チェックテスト
- 金の漢字 書き取り …… 213
- 金の漢字 読み …… 192
- 銀の漢字 書き取り …… 186
- 銀の漢字 読み …… 175

金の漢字

書き取り

近年の入試問題に出題されたものから、出題頻度の高い順にA、B、Cの三ランクに分けています。教科書と同じ書体で載せていますので、正確に覚えましょう。中には、合否を左右するような難しい問題も含まれています。Cランクまですべて完璧にしましょう。

1 桜が吹雪く光景は**アッカン**だ。

2 果実を**アッサク**する。

3 対戦相手を**アナド**る。

4 提案を**アンイ**に承認する。

5 料理は**アンガイ**難しい。

6 業績が伸び会社は**アンタイ**だ。

7 国家の**アンネイ**を乱す。

8 **イアツ**的な態度をとる。

9 **イガイ**な結末に皆が驚いた。

10 恩師に**イケイ**の念を抱く。

圧巻　圧搾　侮　安易　案外　安泰　安寧　威圧　意外　畏敬

◎すべての中で一番優れているところ。

◎強い力を加えてしぼること。

◎相手の実力を軽く見ること。

◎深く考えず、いい加減なさま。

◎自分が予想していた程度からはずれているさま。

◎何事もなく穏やかなさま。

◎世の中が穏やかで平和なさま。

◎力を見せつけて、相手を押さえつけること。

◎思いがけないさま。

◎心からおそれうやまうこと。

11 ひときわ**イコウ**を放つ人物。

12 相手の**イコウ**を踏まえる。

13 新たな政策に**イコウ**する。

14 **イセイ**のいい掛け声。

15 **イセイ**者を悩ませる災害。

16 研究を大学に**イタク**する。

17 **イチガイ**に安全とは言えない。

18 教育方針を**イッカン**する。

19 授業の**イッカン**としての活動。

20 我が子を**イツク**しみ育てる。

威光
◎人に敬われるような厳かな雰囲気。

意向
◎思うところ。考え。

移行
◎違う状態にうつっていくこと。

威勢
◎言動に活気があるさま。

為政
◎せいじを行うこと。

委託
◎他の機関や人に任せること。

一概
◎すべてを同じに見て、ひとまとめにすること。

一貫
◎ひとつの考え方や手法をつらぬき通すこと。

一環
◎全体の中のひとつの事柄。

慈
◎愛情を注ぎ大切にすること。

1 **イッシュン**で決着がつく。
2 メールを**イッセイ**送信する。
3 敵を**イッソウ**する。
4 責任の**イッタン**を担う。
5 世界記録に**イド**み続ける。
6 体調に**イヘン**をきたす。
7 温泉で疲れを**イヤ**す。
8 極秘に調査を**イライ**する。
9 表現方法に**イワカン**がある。
10 **インシツ**な手口に対抗する。

一瞬 ◎きわめて短い時間。
一斉 ◎同時。
一掃 ◎すべて払い去ること。
一端 ◎いち部分。
挑 ◎立ち向かっていくこと。
異変 ◎普通の状態とはことなり、かわっていること。
癒 ◎体や心の苦痛を和らげること。
依頼 ◎たのむこと。
違和感 ◎周囲との関係がちぐはぐで、しっくりしないこと。
陰湿 ◎性格が暗く、明朗でないさま。

11 **インシュウ**にとらわれない。

12 **ウム**を言わさず実行する。

13 **ウレ**いを帯びた表情。

14 実現に向け**エイイ**努力する。

15 優勝の**エイカン**に輝く。

16 幹部の**エイダン**に期待する。

17 ノーベル賞を受賞した**エラ**い人。

18 **エリ**を正して拝聴する。

19 **エンカイ**の席を設ける。

20 懸念した事が真実味を**オ**びる。

因習 ◎古くからのしきたり。「因襲」とも書く。

有無 ◎承知することと断ること。

憂 ◎悲しみや嘆き、心配。

鋭意 ◎そのことだけに集中し努力すること。

栄冠 ◎勝利や成功の証として与えられるもの。名誉。

英断 ◎大胆で優れたはんだん。

偉 ◎地位や身分が高いさま。

襟 ◎「エリを正す」は、姿勢を正す。気を引き締める。

宴会 ◎うたげ。

帯 ◎ある性質や傾向があること。

1 誤解は**オウオウ**にして生じる。

2 好奇心**オウセイ**な若者。

3 **オウヘイ**な態度をとる。

4 余計な**オクソク**を生む。

5 **オモムキ**のある日本庭園。

6 彼女の**オモワク**は外れた。

7 **オンケン**な対応をとる。

8 殺伐とした世の中を**ガイ**する。

9 生徒の要望を**ガイカツ**する。

10 **カイキ**日食を観測する。

往往　旺盛　横柄　憶測　趣　思惑　穏健　慨　概括　皆既

◎よくあるさま。

◎活力や気力がたいそうさかんであるさま。

◎無礼でえらそうなさま。

◎自分勝手な解釈で、いい加減にすいそくすること。

◎しみじみとした味わい。風情。

◎見こみ。期待を含んだ考え。

◎おだやかで行き過ぎたところがないさま。

◎嘆くこと。憤ること。

◎大まかにまとめること。

◎日食や月食で太陽や月の全面が隠れてしまう現象。

11 親友と**カイキュウ**の談に耽る。

12 学校で**カイキン**賞をもらう。

13 **カイコ**趣味にあふれた作品。

14 父を献身的に**カイゴ**する。

15 展示会を**カイサイ**する。

16 事件の**カイソウ**録を執筆する。

17 記念に**カイチュウ**時計を買う。

18 **ガイトウ**演説に励む。

19 内閣が**ガカイ**する。

20 **カクシン**をついた質問。

懐旧

皆勤

懐古

介護

開催

回想

懐中

街頭

瓦解

核心

◎昔の出来事をなつかしく思い出すこと。

◎休まずに出席、しゅっきんすること。

◎昔のことをなつかしむこと。

◎病人や高齢者の世話をすること。

◎会や行事などをひらくこと。

◎過去の出来事を振り返り、おもいを巡らせること。

◎ふところやポケットのなか。

◎まちなか。まちの広場や道路。

◎一部の崩れから全体が壊れること。

◎物事のちゅうしんとなっている大切な部分。

1 **カクダン**のご配慮をいただく。
2 賞状を**ガクブチ**に入れる。
3 **カクベツ**な待遇を受ける。
4 不動の地位を**カクリツ**する。
5 力を**カゲン**して戦う。
6 医療**カゴ**を防止する。
7 自分の実力を**カシン**する。
8 **カセン**市場に割り込む。
9 現代社会は情報**カタ**にある。
10 人口が都市部に**カタヨ**る。

格段　額縁　格別　確立　加減　過誤　過信　寡占　過多　偏

◎程度の差がはなはだしいさま。
◎絵などを入れて飾るための枠。
◎他と違う扱いを受けるさま。とくべつ。
◎揺るぎないものにすること。
◎ちょうどよい具合に調節すること。
◎あやまち。
◎価値や能力をしんじすぎること。
◎少数の企業が市場を支配している状態。
◎おおすぎるさま。
◎一方へ傾くこと。つり合いが取れないこと。

11 策略に**カタン**せず見守る。

12 諸国に群雄が**カッキョ**する。

13 **カッコ**たる証拠はない。

14 墓前で**ガッショウ**する。

15 絶望の淵で**カツロ**を見出す。

16 結果より**カテイ**を重視する。

17 内容を**カフソク**なく記載する。

18 彼は**カモク**な青年だ。

19 **カンカ**できない悲惨な事故。

20 **ガンジョウ**な造りの棚。

加担

割拠

確固

合掌

活路

過程

過不足

寡黙

看過

頑丈

◎力を貸すこと。「荷担」とも書く。

◎ある場所をそれぞれがきょてんとして勢力を張ること。

◎しっかりしていて揺らがないさま。

◎顔や胸の前で手のひらをあわせること。

◎追い詰められた苦しい状況から抜け出す手段。

◎物事が変化、発展していく道筋。

◎多すぎることとたりないこと。

◎口数が少なく静かなさま。

◎みすごすこと。

◎じょうぶでしっかりしているさま。

1 包装を**カンソ**にする。

2 **カンダイ**な処置をとる。

3 日本代表の**カントク**に就任する。

4 道徳**カンネン**が希薄である。

5 金融危機の背景を**カンパ**する。

6 新入生を部活に**カンユウ**する。

7 **カンヨウ**表現を覚える。

8 有能な**カンリ**を登用する。

9 **キ**を一にして取り組む。

10 大雨に**キイン**して起きた事故。

簡素
寛大
監督
観念
看破
勧誘
慣用
官吏
軌
起因

◎飾り気がなくしっそなさま。

◎心が広いこと。思いやりがあること。

◎指図や指導をする人。

◎頭の中で作った考え。

◎みやぶること。

◎すすめ、さそうこと。

◎一般にもちいられていること。

◎役人。

◎「キを一にする」は、方向が同じこと。「揆」とも書く。

◎物事のおこるげんいんとなること。

11 当時の**キオク**が定かでない。

12 **キカイ**な現象が多発する。

13 挑戦する**キガイ**を持ち続ける。

14 イベントを**キカク**する。

15 戦地から無事に**キカン**する。

16 選挙の結果に**ギギ**を抱く。

17 治安の低下を**キグ**する。

18 試合を途中で**キケン**する。

19 重大な**キケン**を招く。

20 **キゲン**内に作品を提出する。

記憶
奇怪
気概
企画
帰還
疑義
危惧
棄権
危険
期限

◎忘れずに覚えておいた内容。

◎常識では考えられないほど不思議なさま。

◎困難に負けない強いきもち。

◎けいかくを立てること。

◎戻ってくること。故郷にかえり着くこと。

◎はっきりせずうたがわしい事柄。

◎あやぶみ、おそれること。

◎けんりを捨てて使わないこと。

◎あぶないこと。良くない結果。

◎あらかじめ定められたきかん。

1 **ギコウ**を凝らした作品。

2 事件の詳細を**キサイ**する。

3 **ギゼン**的な行為だと非難する。

4 **キソク**に従って行動する。

5 **キチ**に富んだ会話を楽しむ。

6 同一の結果に**キチャク**する。

7 白を**キチョウ**とした内装。

8 実力が**キッコウ**している。

9 歴史は文化の**キテイ**をなす。

10 **キテン**を利かせて脱出する。

技巧
◎たくみな手法。

記載
◎書きしるすこと。

偽善
◎本心からではない、うわべだけのよい行い。

規則
◎きまり。

機知
◎時と場合に応じて鋭く反応できる能力。「機智」とも書く。

帰着
◎最終的に行きつくところ。

基調
◎きほんとなっている傾向。

拮抗
◎張り合っている両者の勢力に差がないこと。

基底
◎物事のきそとなるところ。

機転
◎状況に応じて素早く判断する心の働き。「気転」とも書く。

11 新事業が**キドウ**に乗る。

12 呼吸困難で**キトク**に陥る。

13 合格を**キネン**する。

14 感情の**キフク**が激しい。

15 会員**キヤク**に同意する。

16 適宜**キュウケイ**をとる。

17 なだらかな**キュウリョウ**地帯。

18 無我の**キョウチ**に達する。

19 彼の演説に**キョウメイ**する。

20 **キョウラク**的な生活を求める。

軌道 ◎物事が進んでいくみちすじ。

危篤 ◎重症で命があやうい状態。

祈念 ◎願いが叶うようにいのること。

起伏 ◎勢いなどが盛んになったり衰えたりすること。

規約 ◎組織や団体の中で定められたきそく。

休憩 ◎やすむこと。

丘陵 ◎低くなだらかな山が連なっている地形。おか。

境地 ◎ある段階に到達した心の状態。

共鳴 ◎他人の考えや言動に同感すること。

享楽 ◎かいらくを味わうこと。

1 **キョウレツ**な印象を与える。

2 **キョエイ**を張って取り繕う。

3 **キョマン**の富を得る。

4 突然、**キョム**感に襲われる。

5 思い出が**キョライ**する。

6 社長としての**キリョウ**を磨く。

7 **ギレイ**通りに挨拶を返す。

8 師弟関係に**キレツ**が入る。

9 **ギワク**はいまだに晴れない。

10 病原**キン**が発見される。

---

1 強烈
◎はげしいさま。

2 虚栄
◎実力以上に見せかけること。みえ。

3 巨万
◎莫大な数や量。

4 虚無
◎何も存在せずむなしいこと。

5 去来
◎行ったりきたりすること。

6 器量
◎その地位にふさわしい能力や人徳。

7 儀礼
◎れいぎ。作法。

8 亀裂
◎ひび。

9 疑惑
◎うたがわしく思うこと。

10 菌
◎さいきん。ばいきん。

11 **キンコウ**の農業が盛んになる。

12 生産の**クウドウ**化が進む。

13 **グウハツ**的な故障による事故。

14 爪をかむ**クセ**を直す。

15 **クッタク**なくはしゃぐ子ども。

16 少しの**クフウ**で改善される。

17 **グレツ**な行為を非難する。

18 先生が**クンカイ**を垂れる。

19 集団の頂点に**クンリン**する。

20 **ケイガイ**化した制度を見直す。

近郊

空洞

偶発

癖

屈託

工夫

愚劣

訓戒

君臨

形骸

◎都市部にちかい地域。

◎形は残っているが、実体はなくなっているさま。

◎ぐうぜんに起こること。

◎習慣となっている無意識の動作。

◎気にかかることがあって、心が晴れないこと。

◎考えを巡らせて得た方法。

◎おろかでおとっているさま。

◎教え諭し、いましめること。

◎ある分野で絶対的な力を振るうこと。

◎外見だけで中身がないもの。意味がないもの。

1 街の**ケイカン**を損ねる建物。

2 彼は時折鋭い**ケイク**を吐く。

3 美しい**ケイコク**を歩く。

4 **ケイハク**な行動を慎む。

5 金沢を**ケイユ**して京都へ行く。

6 **ゲキテキ**な変化に皆が驚く。

7 母校の選手を**ゲキレイ**する。

8 **ケショウ**映えする顔立ち。

9 ビタミンが**ケツボウ**している。

10 空気に冬の**ケハイ**を感じる。

1 景観
2 警句
3 渓谷
4 軽薄
5 経由
6 劇的
7 激励
8 化粧
9 欠乏
10 気配

◎よいながめ。けしき。

◎簡潔な中に真理を鋭く表現した言葉。

◎たにま。

◎浅はかでかるがるしいさま。

◎ある地点を通って行くこと。

◎げきを観て感じるような緊張や感動があるさま。

◎はげまして、気持ちを奮い立たせること。

◎美しく見えるように顔を飾ること。

◎足りないこと。

◎それとなく感じられる様子。

11 **ケンアン**事項が解決に至る。

12 先代の**ゲンエイ**におびえる。

13 責任者に**ケンゲン**を与える。

14 **ゲンコウ**の締め切りが近づく。

15 **ケンジツ**な生き方を心がける。

16 **ケンジョウ**語を正しく用いる。

17 **ゲンゼン**たる態度で臨む。

18 **ケンメイ**な判断を求める。

19 身の潔白を**ゲンメイ**する。

20 食費の**ケンヤク**に励む。

懸案

幻影

権限

原稿

堅実

謙譲

厳然

賢明

言明

倹約

◎問題とされていながらも解決に至っていない事柄。

◎まぼろし。

◎けんりを主張し行使できる能力。

◎印刷や公表するために書かれた文章。

◎しっかりしていて確かなこと。

◎相手に対しへりくだること。

◎いかめしくおごそかなさま。

◎かしこくて適切であること。

◎はっきりといいきること。

◎無駄な出費を減らし、切り詰めること。

1 中国との**コウエキ**が盛んだ。

2 会社が**コウガイ**に移転する。

3 **コウカン**留学でカナダに行く。

4 不正に対して激しく**コウギ**する。

5 言葉を**コウギ**に解釈する。

6 資格取得者を**コウグウ**する。

7 武力の**コウシ**を禁止する。

8 給料から税金を**コウジョ**する。

9 明るさを**コウジョウ**的に保つ。

10 研究で顕著な**コウセキ**を残す。

交易　郊外　交換　抗議　広義　厚遇　行使　控除　恒常　功績

1 交易 ◎物品をこうかんしたり売買したりすること。

2 郊外 ◎都市部に隣接した地域。

3 交換 ◎とりかえること。やり取りをすること。

4 抗議 ◎反対の意見や苦情を訴えること。

5 広義 ◎ある言葉に複数意味がある場合のひろい方の意味。

6 厚遇 ◎てあつくもてなすこと。

7 行使 ◎権利や様々な力を実際につかうこと。

8 控除 ◎差し引くこと。

9 恒常 ◎一定で変化しないこと。

10 功績 ◎優れた結果や働き。てがら。

11 内閣の**コウゾウ**を改革する。

12 読者の**コウバイ**意欲を高める。

13 急**コウバイ**の坂道を上る。

14 必死に**コウベン**する。

15 円高による損害を**コウム**る。

16 薬草の**コウヨウ**が表れる。

17 毎年**コウレイ**の行事。

18 友人の熱意に**コオウ**する。

19 **コガラ**な体格を生かす。

20 新規の**コキャク**を獲得する。

構造 ◎仕組み。物事の関係。

購買 ◎物をかうこと。

勾配 ◎傾きの程度。

抗弁 ◎相手の考えに逆らって自分の考えを述べること。

被 ◎降りかかってきたものを受けること。

効用 ◎ききめ。

恒例 ◎しきたりや習慣として行われること。

呼応 ◎互いに気持ちを通じ合わせること。

小柄 ◎体が普通よりもちいさいこと。

顧客 ◎ひいきにしてくれるおとくいのきゃく。

1 十勝平野は**コクソウ**地帯だ。

2 **ゴクヒ**で任務を遂行する。

3 一つの考え方に**コシツ**する。

4 **コショウ**した原因を探る。

5 事実を**コチョウ**して話す。

6 論文の**コッシ**を考える。

7 失敗に**コ**りて慎重になる。

8 長年**コンイ**にしている間柄だ。

9 **コンセツ**丁寧に答弁する。

10 **コンチュウ**採集に出かける。

穀倉 極秘 固執 故障 誇張 骨子 懲 懇意 懇切 昆虫

◎こくもつが豊かに実る土地。

◎決して漏らしてはならないひみつ。

◎しゅうちゃくすること。「こしゅう」とも読む。

◎機械や体などの働きにさしさわりが出ること。

◎大げさに表現すること。

◎ほね組みとなる重要な部分。

◎二度と同じことを繰り返すのはよそうと思うこと。

◎親しいこと。

◎細かなところまで気を配ってしんせつなさま。

◎頭・腹・胸の三部位を持つ節足動物。

11 わずかな**サイイ**も見逃さない。

12 四季を**サイジキ**で紹介する。

13 **サクイン**を用いて単語を探す。

14 不要な文章を**サクジョ**する。

15 あれこれと**サクリャク**を練る。

16 争いごとを極力**サ**ける。

17 恋人を映画に**サソ**う。

18 映画の**サツエイ**が順調に進む。

19 伝統的な**サホウ**を習得する。

20 **サワ**やかな春風を感じる。

差異

歳時記

索引

削除

策略

避

誘

撮影

作法

爽

◎あるものとあるものを比べて違っている点。

◎一年の中の、自然や行事をしるしたもの。

◎規則的に配列し、語句などを探しやすくした一覧。

◎けずって取りのぞくこと。

◎自分の思い通りにするためのはかりごと。

◎関わることのないように距離をおくこと。

◎あることを一緒にするように勧めること。

◎写真や映画などをとること。

◎きまったやり方。しきたり。

◎すがすがしくて気持ちがいいさま。

1 問題が**サンセキ**している。

2 彼の偉業を**サンビ**する。

3 贅沢**ザンマイ**な暮らし。

4 彼の話の内容は**サンマン**だ。

5 反対が過半数を**シ**める。

6 他人の**シキチ**へ侵入する。

7 民主国家の建築を**シコウ**する。

8 新しい政権を**シジ**する。

9 彼には優れた**シシツ**がある。

10 **シジョウ**の喜びを感じる。

山積 賛美 三昧 散漫 占 敷地 志向 支持 資質 至上

◎処理すべき事柄がやまづみになっているさま。

◎褒めたたえること。「讃美」とも書く。

◎やりたいようにやるさま。

◎まとまりがないさま。

◎他が入るすきを与えないこと。

◎建物や道路などを設けるためのとち。

◎こころざし、それにむかうこと。

◎他人の考え方に賛同し、応援すること。

◎生まれつきのせいしつや才能。

◎このうえないさま。最高。

11 自然界の**ジショウ**を観察する。

12 具体的な**シシン**を示す。

13 **ジセキ**の念に駆られ辞職する。

14 柔軟でしなやかな**シタイ**。

15 失敗に対し厳しく**シダン**する。

16 激しい運動を**ジチョウ**する。

17 呼吸器に**シッカン**がある。

18 導入した戦略を**ジッセン**する。

19 世界一の腕前だと**ジフ**する。

20 良質な**シボウ**を摂取する。

事象
◎様々な事柄。

指針
◎物事を進めるためのほうしん。

自責
◎じぶんをせめること。

肢体
◎手足とからだ。

指弾
◎非難し、退けること。

自重
◎軽はずみな言動を慎むこと。

疾患
◎病気。

実践
◎じっさいに行うこと。

自負
◎じぶんの仕事や才能に、じしんや誇りを持つこと。

脂肪
◎動物の体に蓄えられていてエネルギー源となるもの。

1. 周囲の**ジモク**を集める。
2. 議会を**シモン**機関とする。
3. **シャザイ**の言葉を述べる。
4. 優勝が**シャテイ**に入る。
5. **シャヨウ**産業から撤退する。
6. **シュウアク**な争いが生じる。
7. **シュウジ**を連ねて文章を書く。
8. 社会福祉に**ジュウジ**する。
9. 飼い主に**ジュウジュン**な犬。
10. **ジュウゼン**な対策を講じる。

耳目
諮問
謝罪
射程
斜陽
醜悪
修辞
従事
従順
十全

◎人々の注意やちゅうもく。

◎意見を尋ね求めること。

◎犯したつみについてあやまること。

◎力が届く範囲。

◎衰えて落ちぶれつつあるさま。

◎見た目や行いなどがみにくいさま。

◎言葉を巧みに使って表現する技術。

◎しごとに携わること。

◎逆らわず素直なさま。

◎少しの欠点もなくかんぜんなさま。

11 他国の資源を**シュウダツ**する。

12 規則を**シュウチ**させる。

13 絵画の**シュウフク**作業。

14 **シュクメイ**の対決を制す。

15 **ジュクレン**の技を見せつける。

16 本来の**シュシ**にそぐわない。

17 **シュツジ**が明らかでない男性。

18 彼女は**シュミ**に没頭している。

19 鹿の**シュリョウ**が解禁になる。

20 決定的な**シュンカン**を見逃す。

収奪
◎強引にうばうこと。

周知
◎広くしれ渡っていること。

修復
◎繕って元の状態になるように直すこと。

宿命
◎はるか昔から定まっているうんめい。

熟練
◎十分な経験があり、上手にこなすさま。

趣旨
◎行動を起こすための目的やねらい。

出自
◎でどころ。生まれ。

趣味
◎楽しみとして行うもの。

狩猟
◎野生の鳥獣を捕らえること。

瞬間
◎まばたきほどの短いじかん。

1 両者の主張を**シヨウ**する。

2 部隊を**ショウアク**する。

3 被告を法廷に**ショウカン**する。

4 名誉教授の**ショウゴウ**を贈る。

5 **ショウサイ**を書き綴った記事。

6 勇敢な行動を**ショウサン**する。

7 **ショウジュン**を合わせて撃つ。

8 攻撃の**ジョウセキ**を覚える。

9 醤油を自宅で**ジョウゾウ**する。

10 睡眠不足が**ジョウタイ**となる。

止揚
掌握
召喚
称号
詳細
賞賛
照準
定石
醸造
常態

◎対立した状況を、新しい視点を持って発展させること。

◎手に入れること。我が物とすること。

◎日時や場所を定めて呼び出すこと。

◎地位や資格などを示す呼び名。

◎くわしくこまかいこと。

◎褒めたたえること。「称賛」とも書く。

◎狙いを定めること。

◎最善と考えられているきまったやり方。

◎発酵する力を利用して酒類や調味料をつくること。

◎ふつうのじょうたい。

11 施設の利用を**ショウダク**する。

12 出席者の**ショウニン**を得る。

13 **ショウミ**期限内に食べ切る。

14 体力の**ショウモウ**が著しい。

15 豪雨で電車が**ジョコウ**する。

16 父の**ショサイ**で読書に耽る。

17 病気の悪化を**ジョチョウ**する。

18 **ジリョク**を完全に遮断する。

19 哲学は**シンエン**で難解だ。

20 礼を尽くし**ジンギ**を重んじる。

11 承諾

12 承認

13 賞味

14 消耗

15 徐行

16 書斎

17 助長

18 磁力

19 深遠

20 仁義

◎相手の要求を聞き入れること。

◎申し出をみとめて許可すること。

◎おいしく食べること。

◎使い果たすこと。

◎すぐに止まることができる程度の速さで進むこと。

◎どくしょをしたり、執筆をしたりするための部屋。

◎ある傾向を著しくさせてしまうこと。

◎じきょくがお互いに引き合うちから。

◎奥がふかく、簡単にははかりしれないこと。

◎道徳上守るべきこと。

1 会議は**シンコウ**にまで及んだ。

2 豪雨で地下鉄が**シンスイ**する。

3 **シンセキ**が一堂に会する。

4 記念品を**シンテイ**する。

5 **シンビ**眼を養う。

6 部員同士の**シンボク**を深める。

7 隣国に**シンリャク**する。

8 友人を委員長に**スイセン**する。

9 **スイトウ**を持ち歩く。

10 **ズイブン**な物言いをする人だ。

深更　浸水　親戚　進呈　審美　親睦　侵略　推薦　水筒　随分

◎夜ふけ。

◎みずが入り込み、ひたってしまうこと。

◎血のつながりや婚姻によって関係がある人。

◎差しあげること。

◎うつくしさや本質を見極めること。

◎仲良くすること。

◎他国にしんにゅうし、土地や物を奪うこと。

◎すすめること。

◎飲み物を持ち歩くための容器。

◎言動が度を過ぎているさま。

11 **スキマ**から様子をうかがう。

12 真相を**アバ**く。

13 事態を**アンカン**と放置する。

14 助手に研究を**イショク**する。

15 明治**イシン**の指導者。

16 **イゼン**として否定し続ける。

17 食糧供給を隣国に**イソン**する。

18 **エイビン**に頭脳を働かせる。

19 国王に**エッケン**する。

20 罪人に**オンシャ**を与える。

隙間

暴

安閑

委嘱

維新

依然

依存

鋭敏

謁見

恩赦

◎物と物のあいだのわずかなすき。

◎隠していることを公表すること。

◎危急に際して、のん気でいるさま。

◎ゆだね頼むこと。

◎物事を改め、全くあたらしいものにすること。

◎前と変わらないさま。

◎他のものに頼ること。「いぞん」とも読む。

◎物事をするどく感じること。

◎地位や年齢が上の人と会うこと。

◎行政権によって特別に罪を減免すること。

1 責任を**カイヒ**する。

2 味方の勝利を**カクシン**する。

3 時間を**カセ**いで逃走する。

4 **カンゴク**に収容される。

5 **キビン**な対応をとる。

6 **ギャクセツ**的な表現を用いる。

7 一躍**キャッコウ**を浴びる。

8 **ギョウギ**よく座る。

9 相手の目を**ギョウシ**する。

10 本の内容を**ギョウシュク**する。

回避

確信

稼

監獄

機敏

逆説

脚光

行儀

凝視

凝縮

◎さけること。

◎必ずそうなるとしんじて疑わないこと。

◎有利な状況になるように、時間を経過させること。

◎罪を犯したものを拘禁するための施設。

◎判断や動きが素早いさま。

◎一見矛盾しているようで、実は真実であるせつ。

◎「キャッコウを浴びる」は、注目の的になる。

◎立ち居振舞い。

◎じっと見つめること。

◎ばらばらのものが一つに固まってちぢまること。

11 **キンシン**処分を受ける。

12 動物が主人公の**グウワ**が多い。

13 腹部に穴を開けて**クダ**を通す。

14 火災の発生を**ケイカイ**する。

15 未来に**ケイショウ**を鳴らす。

16 失言し、**コウゲキ**の的になる。

17 勢力**コウソウ**を繰り広げる。

18 緊張で頬が**コウチョウ**する。

19 新聞を定期的に**コウドク**する。

20 **ゴラク**産業の進出が著しい。

謹慎
◎悪い行いの償いとして、行動をつつしむこと。

寓話
◎教訓や風刺を含んだ話。

管
◎細長い筒状で、中が空のもの。

警戒
◎注意し用心すること。

警鐘
◎よくない事態が迫っていることを知らせるもの。

攻撃
◎責めたてること。

抗争
◎張り合ってあらそうこと。

紅潮
◎顔があからむこと。

購読
◎買ってよむこと。

娯楽
◎人の心をたのしませるもの。

1 勝ち目がないことを**サト**る。

2 大切な資料が**サンイツ**する。

3 生活に**シショウ**をきたす出費。

4 **シュウシュウ**がつかない事態。

5 読者の**ジュヨウ**に応じる。

6 将来を**ショクボウ**される人物。

7 **シンチョウ**に事を運ぶ。

8 問題の解決に**ジンリョク**する。

9 彼を候補者として**スス**める。

10 新入生に入部を**スス**める。

悟　散逸　支障　収拾　需要　嘱望　慎重　尽力　薦　勧

◎気づくこと。

◎ちり失せて所在が分からなくなること。

◎妨げとなること。さしつかえ。

◎入り乱れている状態を整えまとめること。

◎必要なものとして求めること。

◎将来や前途にのぞみをかけること。

◎注意深く、軽々しく行わないさま。

◎ちからをつくすこと。

◎よさを伝えてすいせんすること。

◎そうするように誘うこと。

11 **スナオ**な意見を述べる。

12 研究所の**セイイン**になる。

13 厳しい**セイサイ**を与える。

14 行動範囲を**セイヤク**される。

15 **セソウ**を表した言葉。

16 気管支**ゼンソク**の治療を行う。

17 **ゼンプク**の信頼を寄せる。

18 国民の**ソウイ**を尊重する。

19 両者の主張には**ソウイ**がある。

20 **ゾウキバヤシ**は自然の宝庫だ。

素直 ◎ありのままでしょうじきなさま。

成員 ◎団体や組織などをこうせいするじんいん。メンバー。

制裁 ◎罰を加えること。

制約 ◎条件を設けて自由にさせないこと。

世相 ◎よのなかの様子。

喘息 ◎呼吸が困難になる病気。

全幅 ◎ありったけ。

総意 ◎全体のいけん。

相違 ◎ちがっている点があること。「相異」とも書く。

雑木林 ◎様々なきが生えているはやし。

1 **ソウゴ**理解を深める。
2 快適な環境を**ソウシュツ**する。
3 茶道の**ソウショウ**となる。
4 未来の自分を**ソウゾウ**する。
5 振動を**ゾウフク**させる。
6 **ソザイ**の味を生かした料理。
7 聞くに**タ**えない低俗な話。
8 稲穂が首を**タ**れる。
9 **タイコ**の昔に作られた土器。
10 フランスに**タイザイ**する。

相互
創出
宗匠
想像
増幅
素材
堪
垂
太古
滞在

◎おたがい。
◎新しくつくりだすこと。
◎和歌や茶道、生け花などのししょう。
◎心におもい描くこと。
◎物事の勢いを強めること。
◎もととなっているざいりょう。
◎我慢する。
◎だらりと下のほうに下げる。
◎大昔。
◎他所へ行って長く留まること。

11 基礎**タイシャ**を高める。

12 受験生を**タイショウ**にした本。

13 **ダイタン**な手段を講じる。

14 豊作との**タクセン**を授かる。

15 出席の可否を**タズ**ねる。

16 **ダセイ**で日記を綴る。

17 独自の方法を**タンキュウ**する。

18 友人と**ダンショウ**する。

19 **チュウショウ**を撲滅する。

20 失策を**チョウショウ**する。

代謝

対象

大胆

託宣

尋

惰性

探求

談笑

中傷

嘲笑

◎古いものが新しいものに次々に入れかわること。

◎距離を置いて客観的に捉えたもの。

◎思い切りのよいさま。

◎神のお告げ。

◎質問すること。

◎今までの習慣。

◎さがしもとめること。

◎楽しく話をすること。

◎根拠のないことを言って、名誉をきずつけること。

◎あざわらうこと。

1 事件について**チンモク**を守る。

2 少年時代を**ツイオク**する。

3 真の豊かさを**ツイキュウ**する。

4 首相の責任を**ツイキュウ**する。

5 作業履歴を**ツイセキ**する。

6 一生をかけて罪を**ツグナ**う。

7 条約が**テイケツ**される。

8 強引な改革に**テイコウ**する。

9 調味料を**テキギ**加える。

10 組織の陰謀を**テキハツ**する。

沈黙 追憶 追求 追及 追跡 償 締結 抵抗 適宜 摘発

◎だまっていること。

◎過去の出来事を思い出すこと。

◎達成するまでおいもとめること。

◎どこまでもおいかけて、責めること。

◎物事の成り行きをおうこと。

◎犯した罪に対して埋め合わせをすること。

◎契約などをむすぶこと。

◎反発し逆らうこと。

◎状況に応じて。てきとう。

◎悪事を暴いて公表すること。

11 両者の**トクチョウ**を比較する。

12 立った**トタン**に倒れた。

13 **トッピ**な質問をする。

14 危険を**トモナ**う作業。

15 研修への参加は**ニンイ**だ。

16 圧政に**ニンジュウ**する。

17 古い家電製品を**ハイキ**する。

18 **ハイタテキ**な体質を改善する。

19 環境**ハカイ**の原因を探る。

20 作業の合理化を**ハカ**る。

特徴　◎とくべつに目立つところ。

途端　◎ちょうどその時。

突飛　◎思いもよらないさま。

伴　◎同時にあわせ持つこと。

任意　◎その人の考えにまかせること。

忍従　◎耐えてしたがうこと。

廃棄　◎要らないものを捨てること。

排他的　◎ほかのものを退ける傾向があるさま。

破壊　◎こわすこと。

図　◎工夫する。

1 弱者が**ハクガイ**を受ける。

2 **ハクライ**の楽器を購入する。

3 他人の分野に口を**ハサ**む。

4 一族の**ハンエイ**を願う。

5 世相を**ハンエイ**した作品。

6 基本を**ハンプク**して学習する。

7 映画の**ヒヒョウ**を述べる。

8 友人に**ヒミツ**を打ち明ける。

9 携帯電話は生活に**フカケツ**だ。

10 **フカブン**の関係を結ぶ。

迫害

舶来

挟

繁栄

反映

反復

批評

秘密

不可欠

不可分

◎抑えつけて苦しめること。

◎外国から運ばれてきたもの。

◎「口をハサむ」は、意見を割り込ませること。

◎さかえること。

◎影響が他に及んで現れること。

◎何度も繰り返すこと。

◎物事の善し悪しや優劣をひょうかすること。

◎他人に隠している事柄。

◎なくてはならないもの。

◎切り離せないさま。

11 **フクスイ**盆に返らず。

12 **フモウ**な議論を繰り返す。

13 敵を**フンサイ**し勝利を収める。

14 新事業の展開に**フントウ**する。

15 施設を一時的に**ヘイサ**する。

16 現代は**ホウショク**の時代だ。

17 歓喜の**ホウヨウ**を交わす。

18 校長の職務を**ホサ**する。

19 航路の安全を**ホショウ**する。

20 利益を**ホショウ**する。

覆水
◎例文は、やってしまったことはもとに返らないこと。

不毛
◎何の成果も得られないこと。

粉砕
◎打ちのめすこと。

奮闘
◎力の限り努力すること。

閉鎖
◎出入り口をとざして立ち入らせないこと。

飽食
◎たべ物に不自由しないこと。

抱擁
◎だきかかえること。

補佐
◎その人の傍について助けること。

保障
◎責任を持って、一定の地位や状態をたもつこと。

保証
◎まちがいなく大丈夫だと請け合うこと。

1 損失を**ホショウ**する。

2 新たな産業が**ボッコウ**する。

3 本人の意思に**マカ**せる。

4 日本の**マンガ**が賞賛される。

5 彼は**ミガ**けば光る逸材だ。

6 彼女の笑顔は**ミリョク**的だ。

7 故郷への**ミレン**を断ち切る。

8 **ムダ**な出費を抑える。

9 周りの意見に**モウジュウ**する。

10 **ユウゲン**な趣の絵画。

補償 勃興 任 漫画 磨 魅力 未練 無駄 盲従 幽玄

◎損害を金銭などで埋め合わせること。

◎急激に勢いが盛んになること。

◎ゆだねること。

◎絵に台詞をつけて表現した物語。

◎上達するよう努力すること。

◎人の心をひきつけるちから。

◎心残りなこと。

◎役に立たないさま。意味のないさま。

◎自分の考えもなく相手にしたがうこと。

◎深い余情のあること。

11 **ユウチョウ**な対応にいらだつ。

12 他国との**ユウワ**を図る。

13 **ヨウイ**に説明のつく事柄だ。

14 平静を**ヨソオ**って実行する。

15 **リクツ**をこねて説き伏せる。

16 全員の**リョウカイ**を得る。

17 家族旅行のため**ルス**にする。

18 覚えた単語を**レッキョ**する。

19 新たに**レンサイ**記事を書く。

20 **ロコツ**に不満を顔に出す。

悠長
◎ゆったりと構えて気のながいこと。

融和
◎打ち解けてちょうわすること。

容易
◎たやすいこと。

装
◎見せかけること。

理屈
◎むりに筋道をつけたりゆう。

了解
◎納得して承知すること。

留守
◎家にいないこと。

列挙
◎並べあげること。

連載
◎続き物として継続してのせること。

露骨
◎あからさま。

1 彼は私の最高の**アイボウ**だ。

2 **イカン**を正して式に出る。

3 戦没者を**イレイ**する。

4 出家して**インセイ**する。

5 合格できてとても**ウレ**しい。

6 海外に**エンセイ**する。

7 日本とカナダを**オウカン**する。

8 **オンチ**なので歌うのは苦手だ。

9 事態を**オンビン**に収拾する。

10 **カイシン**の一撃を放つ。

相棒 衣冠 慰霊 隠棲 嬉 遠征 往還 音痴 穏便 会心

◎一緒に事をする仲間。

◎いふくとかんむり。

◎死者の魂をしずめ、なぐさめること。

◎俗世間から離れてひっそりと暮らすこと。

◎満足する結果になり、喜ばしい。

◎とおくへ出かけること。

◎行き来すること。

◎おとに対する感覚が鈍いこと。

◎荒立てずに行うさま。

◎望み通りになること。

11 船が**カイゾク**に襲撃される。

12 小説の展開が**カキョウ**に入る。

13 従来とは**カクゼン**と違う体制。

14 大雨により**ガケ**崩れが起こる。

15 **ガシュウ**を捨てる。

16 新しいシステムが**カドウ**する。

17 自分の**カラ**に閉じこもる。

18 **カンダン**なく勉強する。

19 **カンハツ**を入れずに繰り返す。

20 憲法を**キソウ**する。

海賊 ◎うみを横行し、財貨を奪うとうぞく。

佳境 ◎おもしろみのある場面。

画然 ◎区別が明白なこと。

崖 ◎険しく切り立った所。

我執 ◎自己中心的な考えにとらわれて、離れられないこと。

稼動 ◎うごくこと。働くこと。

殻 ◎自分を外の世界から隔てるもの。

間断 ◎途切れ。絶えま。

間髪 ◎かみの毛一本入るすきまもないほどすぐに。

起草 ◎原稿の下書きを書きおこすこと。

1 **キンセン**に触れる音楽。

2 アイデアを**グゲンカ**する。

3 実施の条件を**グビ**する。

4 **ケッシュツ**した技能を持つ。

5 辞任を迫る**ゲンジ**を浴びせる。

6 統合への試みを**ケントウ**する。

7 晴雨**ケンヨウ**の傘を買う。

8 **コウキ**の保持を図る。

9 彼はなかなかの**ゴウケツ**だ。

10 判決を不服として**コウソ**する。

琴線
具現化
具備
傑出
言辞
検討
兼用
綱紀
豪傑
控訴

◎心の奥に秘められた真情。

◎実際のものとしてぐたい的にあらわすこと。

◎必要なものを十分にそなえていること。

◎とび抜けてすぐれていること。

◎ことば。

◎物事を詳しく調べ考えること。

◎一つのものに二つ以上の使い道があること。

◎規律。国を治めるための法。

◎度胸があり、思い切ったことをする人。

◎（判決を不服とし）上級裁判所に再審を求めること。

11 無条件に**コウフク**する。

12 核の不保持を**コクゼ**とする。

13 彼は**ココウ**の天才だ。

14 動物達の**コドウ**が聞こえる。

15 **コハン**にあるキャンプ場。

16 意識が**コンダク**する。

17 **サイシン**の注意を払う。

18 **サクバク**とした風景。

19 **ザンギャク**極まりない犯行。

20 目次を**サンショウ**する。

降伏

国是

孤高

鼓動

湖畔

混濁

細心

索漠

残虐

参照

◎負けを認めて、こうさんすること。

◎くにとしての方針。

◎一人かけ離れた境地にいること。

◎心臓のうごきが響く音。

◎みずうみのほとり。

◎にごってぼんやりすること。

◎こまかいところまでこころを配ること。

◎物寂しいさま。

◎むごたらしいさま。ざんこくなさま。

◎てらし合わせてさんこうにすること。

1 **シキシャ**に意見を求める。

2 すべてを**シサイ**に検証する。

3 **シュウトウ**に計画を立てる。

4 **ジョバン**からミスを連発する。

5 武道の**シンズイ**を極める。

6 台風の被害は**ジンダイ**だ。

7 学長に**スイキョ**する。

8 **スイソウ**で金魚を飼う。

9 清少納言の**ズイヒツ**を読む。

10 **スウキ**な運命を嘆く。

識者
子細
周到
序盤
真髄
甚大
推挙
水槽
随筆
数奇

◎豊富なちしきや正しい判断力を持つ人。

◎こまかなこと。「仔細」とも書く。

◎隅々まで注意が行き届くこと。

◎初期の段階。

◎その道の極意。奥深く大切なところ。

◎程度が非常におおきいさま。

◎すいせんすること。

◎みずを入れておく容器。

◎体験したことや感想を自由に書き綴った文章。

◎波乱が多く不運なさま。

11 **ステキ**な町並みを歩く。

12 内閣の**セイサク**を評価する。

13 **セイサン**な事件が起こる。

14 **セイシュク**な雰囲気が漂う。

15 複数の項目を**セイジョ**する。

16 設計の**セイド**を高める。

17 湖の**セイヒツ**な風景を描く。

18 金属を**セイミツ**に加工する。

19 温泉の成分が**セキシュツ**する。

20 **セキネン**の悩みを打ち明ける。

素敵　政策　凄惨　静粛　整序　精度　静謐　精密　析出　積年

◎自分の好みに合いすばらしいさま。「素的」とも書く。

◎せいじの方針や手段。

◎見ていられないほどむごたらしいさま。

◎しずかにかしこまるさま。

◎物事の筋道をととのえること。

◎細かさや詳しさのどあい。

◎しずかで穏やかなこと。

◎詳しく細かなさま。

◎溶液から固体がでてくること。

◎ながねん。つみ重なったとしつき。

1 温暖化が**セッパク**している。

2 出演者で**セリフ**を合わせる。

3 私の**センコウ**は経済学だ。

4 改革を**ゼンシン**的に行う。

5 声高らかに**センセイ**する。

6 新たに**センタクシ**を作る。

7 **センパク**が停泊している港。

8 古典文学への**ゾウケイ**が深い。

9 学校の期待を**ソウケン**に担う。

10 沈没船を**ソウサク**する。

切迫　台詞　専攻　漸進　宣誓　選択肢　船舶　造詣　双肩　捜索

◎さしせまっていること。

◎俳優が劇中で言う言葉。

◎ある分野をせんもんに研究すること。

◎少しずつすすむこと。

◎ちかいの言葉を述べること。

◎せんたくして答えるように設けられた複数の項目。

◎ふね。

◎学問、または技芸に深く達していること。

◎両方のかた。

◎さがし求めること。

11 物事を**ソウタイ**的に見る。

12 **ソウダイ**な景色に感動する。

13 記念品を**ゾウテイ**する。

14 論文に図を**ソウニュウ**する。

15 手紙を**ソ**えて贈り物をする。

16 喫煙は健康を**ソガイ**する。

17 トラブルに**ソクザ**に対応する。

18 友人の病状を**ソクブン**する。

19 相手の連勝を**ソシ**する。

20 著しく気力が**ソソウ**する。

相対
◎互いに、他との関係を持ちあって成立すること。

壮大
◎おおきくて見事なさま。

贈呈
◎物を差しあげること。

挿入
◎さしいれること。

添
◎付け加えること。

阻害
◎妨げること。

即座
◎その場ですぐ。

仄聞
◎人づてにちらっときくこと。「側聞」とも書く。

阻止
◎さまたげること。

阻喪
◎気落ちすること。

1 **ソソウ**のないように心がける。

2 **タイキュウ**性に優れている布。

3 **タイキョク**をなす学説。

4 警戒**タイセイ**を強化する。

5 大統領が**タイゼン**と構える。

6 中世の**タタズ**まいが残る。

7 ライバルを**ダトウ**する。

8 **ダマ**って手を挙げる。

9 患者を**タンカ**で運ぶ。

10 **タンセイ**を込めて花を育てる。

粗相　◎不注意による失敗。

耐久　◎長くたえること。

対極　◎たいりつするきょく。

態勢　◎物事を処置するための構え。

泰然　◎落ち着いていて動じないさま。

佇　◎醸し出される雰囲気。

打倒　◎うち負かすこと。

黙　◎何も言わないこと。

担架　◎病人やけが人を運ぶ道具。

丹精　◎真心を込めて行うこと。

11 商品の管理を**タントウ**する。

12 新たな**チケン**を得る。

13 食べ物による**チッソク**を防ぐ。

14 体が**チュウ**に浮く。

15 **チュウヨウ**な立場をとる。

16 料金を**チョウシュウ**する。

17 民衆の暴動を**チンアツ**する。

18 果汁の成分が**チンデン**する。

19 商品を売り場に**チンレツ**する。

20 多くの課題を**テイキ**する。

担当

知見

窒息

宙

中庸

徴収

鎮圧

沈殿

陳列

提起

◎受け持つこと。

◎自分で経験して得たちしき。

◎いきが詰まること。

◎地面から離れた所。

◎極端でなく穏当なこと。偏らないこと。

◎金銭を取り立てること。

◎しずめておさえること。

◎しずんでたまること。「沈澱」とも書く。

◎見せるために商品を並べておくこと。

◎問題などを持ちあげること。

1 敵のチームを**テイサツ**する。

2 業績が**テイメイ**する。

3 臓器を**テキシュツ**する。

4 がん細胞が**テンイ**する。

5 生徒の小論文を**テンサク**する。

6 **テンテキ**の針を刺す。

7 旅客船が**テンプク**する。

8 国宝が**テンラン**される。

9 異なる意見を**トウイツ**する。

10 若手が**トウカク**をあらわす。

偵察 低迷 摘出 転移 添削 点滴 転覆 展覧 統一 頭角

◎密かに様子を探ること。

◎ひくく漂うこと。悪い状況が続くこと。

◎取りだすこと。

◎他の場所にうつること。

◎書き加えたりけずったりして、文章を直すこと。

◎栄養分の補充や輸血のためなどに行う静脈注射の一種。

◎ひっくり返ること。

◎物や絵画などを飾り並べて見せること。

◎ひとつにまとめること。

◎「トウカクをあらわす」は人より優れていて目立つさま。

11 資本金を**トウキ**する。

12 **トウジキ**の産地として有名だ。

13 **トウソウ**心をむき出しにする。

14 私には**トウテイ**承認できない。

15 **トウナン**の被害に遭う。

16 脳は**トウフ**のように柔らかい。

17 異国で**ドウホウ**が交流する。

18 新時代が**トウライ**する。

19 **トクシュ**な事例を紹介する。

20 長い間使った包丁が**ドンマ**する。

投機
◎損失の危険を冒してでも利益を得ようとする行為。

陶磁器
◎とう土や粘土を混ぜ、形作り焼いてできあがるうつわ。

闘争
◎相手を打ち負かそうとしてあらそうこと。

到底
◎どんなにしても。所詮。

盗難
◎金銭や物品をぬすまれること。

豆腐
◎だいずを加工したやわらかい食品。

同胞
◎故郷がおなじ人々。おなじ国民、民族である人々。

到来
◎ある時期がくること。運が向いてくること。

特殊
◎他と異なっていて、とくべつなさま。

鈍磨
◎すり減って働きや反応が弱まること。

1 日記を読み返し**ナイセイ**する。

2 多様な意味を**ナイホウ**する。

3 傷ついた心を**ナグサ**める。

4 世界記録に**ニクハク**する。

5 人事について言葉を**ニゴ**す。

6 **ネンコウ**を積んだ高僧。

7 夜中に町を**ハイカイ**する。

8 **バイシン**員に選ばれる。

9 ラテン語から**ハセイ**した言語。

10 **ハチ**に料理を盛る。

内省
◎自分自身について深くかえりみること。

内包
◎うちがわに含み持つこと。

慰
◎気を紛らわせ、いたわること。

肉薄
◎すぐ近くまでせまること。「肉迫」とも書く。

濁
◎態度や表現をはっきりさせないこと。

年功
◎ながねんの経験や訓練で得たもの。

徘徊
◎目的もなく、ただ歩き回ること。

陪審
◎一般の市民が裁判の評決に関わる制度。

派生
◎もととなるものから分かれて起こること。

鉢
◎食べ物や水を入れる深めの容器。

11 原生林が**バッサイ**される。

12 劇の主役に**バッテキ**された。

13 虫歯で頬が**ハ**れる。

14 境界線が**ハンゼン**としない。

15 合唱曲を**バンソウ**する。

16 **ハンパ**な覚悟では勝てない。

17 津波による**ヒガイ**は甚大だ。

18 体調不良で外出を**ヒカ**える。

19 議定書を**ヒジュン**する。

20 甲状腺が**ヒダイ**する。

伐採

◎山林の木々を切ること。

抜擢

◎たくさんの中から、特別に引きぬかれること。

腫

◎皮膚が膨れ上がること。

判然

◎はっきりとしているさま。

伴奏

◎楽曲の主旋律にそったえんそうをすること。

半端

◎どちらともつかない、いい加減なさま。

被害

◎損失をこうむること。危ない目にあうこと。

控

◎しないようにすること。

批准

◎条約を国の機関が承認すること。

肥大

◎こえておおきくなること。

1 希望を失い**ヒタン**にくれる。

2 山深い村に**ヒッソク**する。

3 力強い**ヒッチ**の水墨画。

4 論文が強い**ヒハン**を浴びる。

5 長引く不況で国が**ヒヘイ**する。

6 細かな所まで**ビョウシャ**する。

7 検査で**ビョウトウ**を離れる。

8 流行に**ビンジョウ**する。

9 世論の**フウチョウ**に流される。

10 筋肉に**フカ**をかける。

悲嘆
逼塞
筆致
批判
疲弊
描写
病棟
便乗
風潮
負荷

◎かなしみなげくこと。

◎落ちぶれてひきこもること。

◎ふで使い。文章の調子。

◎価値や正当性などを評価すること。

◎つかれ弱ること。

◎えがきあらわすこと。

◎びょうしつがある建物。

◎機会をうまく利用すること。

◎時代とともに変わる世間一般の傾向。

◎エネルギーを受け、消費すること。

11 経済の情勢を**フカン**する。

12 **フクシ**の仕事に従事する。

13 美術品の**フクセイ**を入手する。

14 生活の**フジョ**を受ける。

15 彼の出身地は**フショウ**だ。

16 **フシン**な通知が寄せられる。

17 商品に特典が**フゾク**する。

18 精神的な**フタン**を軽くする。

19 **ブッソウ**な事件が多発する。

20 歓迎の**ブトウ**会に参加する。

俯瞰
◎全体を見渡すこと。

福祉
◎公的な配慮によって、生活が安定する環境。

複製
◎もとの物と同じ物を作ること。

扶助
◎力を貸してたすけること。

不詳
◎はっきりと分からないさま。

不審
◎疑わしく怪しいさま。

付属
◎主なものについていること。「附属」とも書く。

負担
◎重荷。

物騒
◎何が起こるか分からず危険なさま。

舞踏
◎おどり。ダンス。

1 家族を**フヨウ**する。

2 幹線を**ブンキ**させる。

3 血管が**ヘイソク**する。

4 仮名を漢字に**ヘンカン**する。

5 形が様々に**ヘンゲン**する。

6 借入金の**ヘンサイ**を終える。

7 薬の成分が**ヘンシツ**する。

8 映像を**ヘンシュウ**する。

9 環境保持の**ホウサク**を立てる。

10 地域社会に**ホウシ**する。

扶養　分岐　閉塞　変換　変幻　返済　変質　編集　方策　奉仕

◎やしなうこと。

◎わかれること。

◎とじてふさがること。

◎入れかえること。

◎素早くへんかすること。

◎借りた金銭や物品をかえすこと。

◎せいしつがかわること。

◎あつめた資料を、目的に合わせて体裁を整えまとめること。

◎手立て。ほうほう。

◎見返りを求めずに尽くすこと。

11 作物の**ホウジョウ**を祈願する。

12 必死に**ボウセン**するが敗れる。

13 祖国から**ホウチク**される。

14 敗戦の**ホウフク**を心に誓う。

15 彼らは**ホウマツ**候補だ。

16 会社設立の**ホッキ**人となる。

17 **ホリョ**の返還を求める。

18 **マジュツ**にかかり朦朧とする。

19 **マンセイ**的な疾患がある。

20 反対する気は**ミジン**もない。

豊穣

防戦

放逐

報復

泡沫

発起

捕虜

魔術

慢性

微塵

◎ゆたかに実るさま。

◎攻撃を防ぐばかりになるたたかい。

◎追いやること。

◎同等の行為をやり返すこと。

◎消えやすくはかないさま。

◎新しいことを企てること。

◎敵方にとらえられた人。

◎人を惑わせる不思議なじゅつ。

◎よくない状態が長く続いているさま。

◎ごくわずか。

1 **ムザン**な光景から目をそらす。

2 寝る前に**メイソウ**にふける。

3 故人の**メイフク**を祈る。

4 **メイユウ**の言葉が胸にしみる。

5 兵役を**メンジョ**された若者。

6 ページの先頭に**モド**る。

7 部屋の**モヨウ**替えをする。

8 外出の許可を**モラ**う。

9 機密事項が外部に**モ**れる。

10 生命の**ヤクドウ**を感じる作品。

---

1 無残 ◎ざんこくなさま。

2 冥想 ◎目を閉じ無心になって集中すること。「瞑想」とも書く。

3 冥福 ◎死んだ後のこうふく。

4 盟友 ◎固い約束を交わした仲間。

5 免除 ◎義務や役目をまぬがれること。

6 戻 ◎もとの状態や場所にかえること。

7 模様 ◎ようすや配置をかえること。

8 貰 ◎頼んで得ること。

9 漏 ◎隠していることが外に知れること。

10 躍動 ◎生き生きとうごくこと。

11 **ユウカイ**事件を解決する。

12 資格取得者を**ユウグウ**する。

13 深い**ユウシュウ**が漂う。

14 城に**ユウヘイ**される。

15 民衆の前で**ユウベン**を振るう。

16 電車で高齢者に席を**ユズ**る。

17 鮮魚の**ユソウ**手段を考える。

18 彼の言葉に気持ちが**ユ**れる。

19 **ヨイ**の明星を観察する。

20 金属をとかした**ヨウエキ**。

誘拐 ◎だましてさそい連れ去ること。

優遇 ◎ゆうせんして特別に扱うこと。

憂愁 ◎うれいがあり、しずんでいるさま。

幽閉 ◎とじこめて人と接触させないこと。

雄弁 ◎人の心を動かす力強いべんぜつ。

譲 ◎他人に渡すこと。

輸送 ◎人や荷物を運ぶこと。

揺 ◎物や気持ちが一つの状態に定まらず、動くこと。

宵 ◎日が暮れて間もない時間。

溶液 ◎えきたい状態にある均一な混合物。

1 東西を結ぶ交通の**ヨウショウ**。
2 **ヨカ**を利用し旅行する。
3 改善の**ヨチ**がある論文。
4 交渉が決裂し**ラクタン**する。
5 地震で大勢が**リサイ**した。
6 快勝し**リュウイン**が下がる。
7 新たな**リョウイキ**への挑戦。
8 幼稚園に**リンセツ**した公園。
9 **ルイセキ**した債務を返済する。
10 食品を**レイトウ**して保存する。

要衝
余暇
余地
落胆
罹災
溜飲
領域
隣接
累積
冷凍

◎じゅうような場所。
◎物事から解放され、自由に使うことのできる時間。
◎ゆとり。よゆう。
◎期待通りにならず、気をおとすこと。
◎さいがいに遭うこと。
◎「リュウインが下がる」は、気持ちがすっきりすること。
◎くいき。部門。
◎となり合っていること。
◎重なりつもること。
◎人工的にこおらせること。

11 孤児に**レンビン**の情を抱く。

12 **レンメン**と受け継がれる技術。

13 **ロウデン**により火災が起こる。

14 公私の**ワク**を超えて交流する。

15 晩秋の**ワビ**しい光景。

16 桜が散るのを**アイセキ**する。

17 研究結果に**イキョ**した判断。

18 国の**イシン**をかけて戦う。

19 新製品を**イッキョ**に公開する。

20 戦国武将の有名な**イツワ**。

憐憫 ◎あわれむこと。

連綿 ◎長い間絶えずに続いているさま。

漏電 ◎でんきがもれること。

枠 ◎制約されている範囲。

侘 ◎ひっそりとしていて寂しいさま。

愛惜 ◎おしんで大切にすること。

依拠 ◎よりどころ。

威信 ◎いげんとしんよう。

一挙 ◎いっぺんに、ある事をしてしまうこと。

逸話 ◎物事にまつわるおもしろいはなし。

1 **イヤオウ**無しに連行される。

2 最新の**イリョウ**を提供する。

3 **インガ**関係を明らかにする。

4 **インサン**な事件が起こる。

5 日本人特有の**インビ**な美意識。

6 心の**オモム**くままに執筆する。

7 新しい分野に**カカン**に挑む。

8 **カクウ**の物語を作る。

9 有害物質が**カクサン**する。

10 **カジョウ**な反応を示す。

否応 医療 因果 陰惨 隠微 赴 果敢 架空 拡散 過剰

◎「イヤオウ無しに」は、無理やりに。

◎病気を治すこと。

◎げんいんとけっか。

◎暗くむごいさま。

◎わずかしか現れず目立たないさま。

◎その方向に心が向かうこと。

◎決断力が強く、押し切って成し遂げるさま。

◎根拠のないこと。

◎ひろがりちらばること。

◎多すぎること。

11 昨今の情勢を**カンアン**する。

12 **カンカク**をあけて座る。

13 新入生の**カンゲイ**会。

14 室内が**カンソウ**している。

15 **カンプ**なきまで叩きのめす。

16 **カンペキ**な状態を目指す。

17 **キセイ**の美意識を排除する。

18 身体が正常に**キノウ**する。

19 **キュウクツ**な姿勢で座る。

20 **キョギ**の文書を作成する。

勘案
◎あれこれと考え合わせること。

間隔
◎物と物との距離。

歓迎
◎よろこんでむかえること。

乾燥
◎かわいていること。

完膚
◎「カンプなきまで」は、徹底的に。

完璧
◎欠点が全くなく優れているさま。

既成
◎すでにできあがっていること。

機能
◎もともと備わっている働き。

窮屈
◎心身の自由が束縛され、思うままにできないこと。

虚偽
◎いつわりであること。

1 **キンセイ**のとれた美しい肉体。

2 **キンミツ**な関係を維持する。

3 代表の言葉が**クウソ**に響く。

4 深刻な問題が**ケンゲン**化する。

5 **ゲンゼン**の事態に目をふさぐ。

6 **コウハン**な知識が要求される。

7 **サギ**による被害を防止する。

8 現行制度を**サッシン**する。

9 制度を**ザンテイ**的に廃止する。

10 筋肉が**シカン**する。

均整 緊密 空疎 顕現 現前 広範 詐欺 刷新 暫定 弛緩

◎つりあいが取れ、ととのっていること。「均斉」とも書く。

◎深く繫がっていること。

◎形式だけを取り繕い、内容が乏しいこと。

◎はっきりとあらわれること。

◎目のまえにあること。

◎はんいがひろいさま。「広汎」とも書く。

◎偽ってだますこと。

◎害となることを除き、全くあたらしいものにすること。

◎とりあえず行われる処置。

◎ゆるむこと。

11 温暖で**シツジュン**な気候。

12 憤怒のため**ジョウキ**を逸する。

13 **ショウテン**を絞って議論する。

14 **ジンジョウ**ではない事態。

15 氷河が岩石を**シンショク**する。

16 巨匠の作品に**シンスイ**する。

17 原稿を**スイコウ**する。

18 方針を**ゼニン**する。

19 過去の事件を**ソウキ**する。

20 **ソウゴン**な儀式が執り行われる。

湿潤
◎しつけが多いこと。

常軌
◎普通に踏むべき道。

焦点
◎問題の中心となるところ。

尋常
◎普通。人並み。

浸食
◎地表が水や風などによって削りとられること。

心酔
◎こころを奪われること。

推敲
◎詩文を作る際、字句を様々に考え練ること。

是認
◎よいとみとめること。

想起
◎おもい浮かべること。

荘厳
◎尊くおごそかなこと。

1 安全**ソウチ**が起動する。

2 **ソウチョウ**な調べを奏でる。

3 時間に**ソクバク**される。

4 現代社会の**ソセキ**を築く。

5 人間としての**ソンゲン**を守る。

6 金銭の**タイシャク**を禁止する。

7 通夜に**チョウモン**する。

8 綿花から糸を**ツム**ぐ。

9 **テンケイ**的な例を列挙する。

10 演技の様式を**トウシュウ**する。

装置　荘重　束縛　礎石　尊厳　貸借　弔問　紡　典型　踏襲

◎しかけ。

◎厳かでおもおもしいさま。

◎しばること。自由を奪うこと。

◎物事の土台となるもの。いしずえ。

◎気高くとうといさま。

◎かしかり。

◎死者の遺族のもとを訪れ、悔やみの言葉を伝えること。

◎綿や繭から繊維を引き出し、よりをかけ糸にすること。

◎同類の中で、その種の特徴を最もよく表しているもの。

◎前人の跡をそのまま受け継ぐこと。

11 汚染した**ドジョウ**を分析する。

12 **ハクシキ**な人に助言を求める。

13 **バクゼン**と考えをめぐらす。

14 作者の**ヒアイ**を感じる文章。

15 容疑を**ヒニン**し続ける。

16 西行は**ヒョウハク**の歌人だ。

17 税率の引き上げは**フカヒ**だ。

18 世論が**フットウ**する。

19 転勤先へ**フニン**する。

20 **フヘン**的な美を追求する。

土壌
◎陸地の表面にあるつち。

博識
◎様々な分野について、広くちしきがあること。

漠然
◎ぼんやりしてはっきりしないさま。

悲哀
◎かなしくあわれなさま。

否認
◎みとめないこと。

漂泊
◎流れただようこと。あてもなくさまようこと。

不可避
◎さけることができないこと。

沸騰
◎騒ぎ立つこと。

赴任
◎にんちへおもむくこと。

普遍
◎すべてのものに共通していること。

1 **ヘンキョウ**な発言を排除する。

2 町並みが大きく**ヘンボウ**する。

3 多様な意味を**ホウガン**する。

4 責任を**ホウキ**する。

5 雑務に**ボウサツ**される。

6 仮説の**ボウショウ**を固める。

7 **ホソウ**道路を造る。

8 意見が不当に**マッサツ**される。

9 古都の風情を**マンキツ**する。

10 贅沢とは**ムエン**の生活を送る。

偏狭 変貌 包含 放棄 忙殺 傍証 舗装 抹殺 満喫 無縁

◎考え方がかたよっていて、せまいこと。

◎姿や様子がすっかりかわること。

◎内部にふくみ持つこと。

◎投げすてること。

◎たいそういそがしいこと。

◎事実をしょうめいするための助けとなるしょうこ。

◎路面を築造すること。

◎存在を否定し、消し去ること。

◎飽きるほどまんぞくすること。

◎えんのないこと。

11 土地を**ムショウ**で返還する。

12 周囲への**メイワク**を省みない。

13 試験範囲を**モウラ**する。

14 敵に**ユウカン**に立ち向かう。

15 事件を**ユウハツ**する要因。

16 現状から**ユウリ**した考え方。

17 異常な**ヨウソウ**を帯びる。

18 **リフジン**な要求を繰り返す。

19 学生の**リンリ**観を育成する。

20 両者の実力差は**レキゼン**だ。

無償
◎代価を払わなくていいこと。ただ。

迷惑
◎人のしたことで不快になったり、困ったりすること。

網羅
◎あることに関するすべてを残らず集めること。

勇敢
◎いさましく思い切りのよいさま。

誘発
◎引き起こすこと。

遊離
◎他のものとはなれて存在すること。

様相
◎物事のありさまやようす。

理不尽
◎物事の筋道に合わないこと。

倫理
◎人として当然守るべきこと。モラル。

歴然
◎明白なさま。

1 苦手な科目と**カクトウ**する。

2 彼は天才といっても**カゴン**ではない。

3 山間地の**カソ**化が進む。

4 実験の成功で**カンキ**に包まれる。

5 **カンキュウ**をつけた投球術。

6 彼は**ガンコ**な職人だ。

7 経済の動向を**カンシュ**する。

8 おが屑を**カンショウ**材にする。

9 **カンショウ**に浸る暇もない。

10 奉仕の精神を**カントク**する。

格闘 過言 過疎 歓喜 緩急 頑固 看取 緩衝 感傷 感得

◎一生懸命に取り組むこと。

◎いいすぎ。

◎人口が極度に少ないこと。

◎非常によろこぶこと。

◎遅いことと速いこと。

◎かたくなで意地っ張りなさま。

◎察知すること。

◎しょうげきをやわらげること。

◎物事にかんじやすく、心をいためること。

◎かんじ、えとくすること。

11 恩師の話に**カンメイ**を受ける。

12 **ギガ**には風刺の要素がある。

13 早期解決を**キキュウ**する。

14 先輩の**キゲン**を損なう。

15 遅刻の理由を**キツモン**する。

16 **キテイ**に従って利用する。

17 動物**ギャクタイ**を防止する。

18 不当な差別を**キュウダン**する。

19 自然が造り出す美の**キョクチ**。

20 **キョショク**に満ちた言葉。

感銘

◎深く心にかんじること。

戯画

◎こっけいな絵。カリカチュア。

希求

◎強くのぞむこと。

機嫌

◎気分。感情。

詰問

◎相手を責めてといただすこと。

規定

◎さだめられたきそく。

虐待

◎むごい扱い方をすること。

糾弾

◎罪状や責任を問いただしてとがめること。

極致

◎最後に到達する最高の境地。

虚飾

◎内容を伴わないうわべだけのもの。

1. **キンパク**感のある演技。
2. 絶望し**クウキョ**な生活を送る。
3. **ケイコク**を無視して川で泳ぐ。
4. 保険証を常に**ケイタイ**する。
5. 親の助言を**ケイチョウ**する。
6. 自己**ケイハツ**に励む。
7. 差別は**ケイベツ**すべき行為だ。
8. 内容を吟味して**ケイヤク**する。
9. 真実と**ケンカク**している。
10. 怪奇的な**ゲンショウ**が起こる。

1. 緊迫
2. 空虚
3. 警告
4. 携帯
5. 傾聴
6. 啓発
7. 軽蔑
8. 契約
9. 懸隔
10. 現象

◎事態などが極めてさしせまっていること。

◎内容がなくむなしいさま。

◎注意を促すこと。

◎身につけて持つこと。

◎耳をかたむけて真剣にきくこと。

◎知識を増やし、物事への理解を深めること。

◎劣っているとしてさげすむこと。

◎やくそくを交わすこと。

◎かけ離れていること。

◎人の感覚によってとらえられる、外面的な一切の物事。

11 都心の**ケンソウ**から離れる。

12 実状を知り**ゲンメツ**する。

13 野党が態度を**コウカ**させる。

14 大学の**コウギ**を公開する。

15 感動のあまり**ゴウキュウ**する。

16 報酬額を**コウショウ**する。

17 自分の過去を**コウテイ**する。

18 仕事で失敗し**コウテツ**される。

19 市場の価格が**コウトウ**する。

20 農地が**コウハイ**する。

喧騒　幻滅　硬化　講義　号泣　交渉　肯定　更迭　高騰　荒廃

◎さわがしいこと。「喧噪」とも書く。

◎げんそうからさめて現実に戻ること。

◎態度や考え方がきょうこうなさま。

◎大学の授業。

◎大声でなき叫ぶこと。

◎ある事を実現させるために当事者と話し合うこと。

◎意味があるものと認めること。

◎その役目の人を改め、かえること。

◎物価などがたかく上がること。

◎あれはてること。

1 問題形式が**コクジ**している。

2 苦手科目の**コクフク**に努める。

3 自分の功績を**コジ**する。

4 教育の**コンカン**に踏み込む。

5 空と海の色が**コンゼン**となる。

6 相手の**コンタン**を見抜く。

7 視界を**サエギ**る高層ビル。

8 時代を**サクゴ**した衣装を着る。

9 危険を**サッチ**して隠れる。

10 **シコウ**の逸品が完成する。

酷似　克服　誇示　根幹　渾然　魂胆　遮　錯誤　察知　至高

◎たいそうにていること。

◎敵や困難に打ち勝つこと。

◎ほこらしげに見せびらかすこと。

◎物事の中心となる重要なところ。

◎区別がつかないさま。「混然」とも書く。

◎たくらみ。

◎邪魔をすること。

◎認識を間違っているさま。

◎推測して、そうではないかと気づくこと。

◎最も優れていること。

11 恩師を父のように**シタ**う。

12 **シッコク**の髪をなびかせる。

13 馬が草原を**シッソウ**する。

14 寺社の**シュウゼン**を請け負う。

15 **シュギョク**の小説を読む。

16 過去の**ジュバク**から逃れる。

17 法律に**ジュンキョ**した条例。

18 **ジュンタク**な資源を保持する。

19 **ジョウ**の高い食品。

20 文章の首尾が**ショウオウ**する。

慕

漆黒

疾走

修繕

珠玉

呪縛

準拠

潤沢

滋養

照応

◎尊敬し憧れること。

◎くろくて光沢のある色。

◎速くはしること。

◎つくろって直すこと。

◎優れた作品。

◎心理的なしばりをかけ、自由を奪うこと。

◎よりどころとすること。

◎物資や利益などが豊富にあること。

◎体のえいようとなること。

◎二つのものが互いに関連し合っていること。

1 **ショウガイ**の友を得る。

2 心の豊かさを**ジョウセイ**する。

3 当事者が互いに**ジョウホ**する。

4 権利が**ショウメツ**する。

5 史料を**ショウリョウ**する。

6 噂の**シンギ**を確かめる。

7 長い間**シンサン**をなめる。

8 儒教の教えを**シンポウ**する。

9 国の**スウジク**を担う。

10 室内を**セイケツ**に保つ。

生涯
醸成
譲歩
消滅
渉猟
真偽
辛酸
信奉
枢軸
清潔

◎いきている間。いっしょう。

◎雰囲気などを作り出すこと。

◎自分の主張を抑え、相手にゆずること。

◎きえてなくなること。

◎多くの書物を読みあさること。

◎しんじつと嘘。

◎つらく悲しいこと。

◎よいものとしんじ、それに従うこと。

◎中心となる大切な部分。

◎きよくて汚れのないさま。

11 **セイサイ**に描写する。

12 新薬を**セイセイ**する。

13 異国の文化と**セッショク**する。

14 **ゼンジ**東へ移動しつつある。

15 心地よい**センリツ**に酔う。

16 同じ**ゾクセイ**を持った物質。

17 **ソザツ**に描かれた絵画。

18 民事**ソショウ**を起こす。

19 **ソマツ**な宿屋が建ち並ぶ。

20 **ソヤ**な振舞いに辟易する。

精細
◎こまかく詳しいこと。

生成
◎できあがること。

接触
◎ふれること。

漸次
◎だんだん。しだいに。

旋律
◎節。メロディー。

属性
◎物事が持つ特徴やせいしつ。

粗雑
◎ざつでいい加減なさま。

訴訟
◎裁判を申し立てること。

粗末
◎雑なさま。上等でないこと。

粗野
◎あらあらしくていやしいこと。

1 人の体は**ゾンガイ**丈夫だ。

2 **タクエツ**した運動能力。

3 摸倣から**ダッキャク**する。

4 解釈の**ダトウ**性を吟味する。

5 問題解決の**タンショ**を得る。

6 **チクイチ**上司に報告する。

7 **チメイテキ**な打撃を受ける。

8 物件の売買を**チュウカイ**する。

9 概念を**チュウショウ**する。

10 常識を**チョウエツ**している。

存外
◎思っていたよりも。

卓越
◎他よりもはるかに優れていること。

脱却
◎ぬぎ捨てること。

妥当
◎適切であること。

端緒
◎物事のはじまり。てがかり。

逐一
◎すべてのことに、ひとつひとつ順を追うさま。

致命的
◎いのち取りになるほど重大であるさま。

仲介
◎なかだちとなること。

抽象
◎共通点を取り出すこと。

超越
◎はるかにこえているさま。

11 世界最高峰に**チョウセン**する。

12 対戦相手を**チョウハツ**する。

13 **チョウボウ**のよい露天風呂。

14 膨大な時間を**ツイ**やす。

15 人生の**テンキ**が訪れる。

16 郷土芸能を**デンショウ**する。

17 価値観が**トウサク**している。

18 議論の**トウヒ**を検討する。

19 **ドクソウ**性に富んだ作品。

20 決定的な証拠が**トボ**しい。

挑戦
◎たたかいをいどむこと。

挑発
◎相手を刺激して、事を起こすように仕向けること。

眺望
◎ながめ。

費
◎使うこと。

転機
◎別の状態にかわるきっかけ。

伝承
◎受け継ぎ、つたえていくこと。

倒錯
◎社会と道徳に反する行為をすること。

当否
◎筋道が通っているかどうか。

独創
◎何の真似もせず、どくじのものをつくり出すこと。

乏
◎足りないこと。

1 事故の**バイショウ**金は多額だ。

2 自分を**ヒゲ**する必要はない。

3 友人に**ブジョク**された。

4 組織の**フハイ**が進む。

5 事故の原因を**ブンセキ**する。

6 独断と**ヘンケン**で決定する。

7 欧米諸国を**ヘンチョウ**する。

8 大器の**ヘンリン**を見せる。

9 友人の告白に**ボウゼン**とする。

10 予算の**ボウチョウ**を防ぐ。

賠償
卑下
侮辱
腐敗
分析
偏見
偏重
片鱗
呆然
膨張

◎他に与えた損害をつぐなうこと。

◎へりくだること。

◎相手を見下し、はずかしい思いをさせること。

◎不健全な状態になること。

◎全体を構成要素にわけること。

◎かたよったみかた、考え方。

◎ある方面だけをおもんじること。

◎極めて小さい部分。一端。

◎あっけにとられるさま。

◎数量がふくれ上がること。

11 弱点を**ホカン**する。

12 犯罪の**ボクメツ**を訴える。

13 書庫の全焼は**マヌガ**れた。

14 観衆を**ミワク**する舞台。

15 植木を**ムゾウサ**に置く。

16 実行は**ムボウ**と判断する。

17 **メンドウ**な課題を抱える。

18 **ヤバン**な行為を非難する。

19 二つの技術を**ユウゴウ**させる。

20 五輪の開催を**ユウチ**する。

補完
◎おぎなって欠点がないものにすること。

撲滅
◎完全になくすこと。

免
◎逃れること。

魅惑
◎みりょくで人の心をまどわせるさま。

無造作
◎気にせず気軽に行うこと。

無謀
◎深い考えや計画性がないさま。

面倒
◎手間がかかり厄介なこと。

野蛮
◎教養がなく荒々しいさま。

融合
◎とけあわせて一つにすること。

誘致
◎招きよせること。

1 菓子の**ユウワク**に負ける。

2 政界と業界の**ユチャク**問題。

3 **ヨウチ**な質問を恥じる。

4 活動の延長を**ヨウニン**する。

5 **ヨギ**でギターを弾く。

6 感情を**ヨクアツ**する。

7 所有する資格を**ラレツ**する。

8 会社の**リジュン**を追求する。

9 彼は**リチギ**な性格だ。

10 自分の**リュウギ**を貫く。

誘惑　癒着　幼稚　容認　余技　抑圧　羅列　利潤　律儀　流儀

◎心をまどわせて、よくないほうへさそいこむこと。

◎本来離れているべきものがくっつくこと。

◎未熟であること。

◎許し、みとめること。

◎専門外のぎじゅつ。

◎行動や自由などを無理におさえつけること。

◎連ね並べること。

◎りえき。もうけ。

◎ひどく義理固いこと。「律義」とも書く。

◎やり方。

11 **リョウケン**が狭い意見。

12 大会への出場を**アキラ**める。

13 歯をむき出して**イカク**する。

14 粗大ゴミを山中に**イキ**する。

15 料金を**イッカツ**して支払う。

16 **イッサイ**妥協せずに取り組む。

17 四季の花で室内を**イロド**る。

18 教授の論文を**エンヨウ**する。

19 能の**オウギ**を伝える。

20 体力を**オンゾン**する。

11 了見
◎ものの考え方。

12 諦
◎断念すること。

13 威嚇
◎おどすこと。

14 遺棄
◎すてること。

15 一括
◎ひとつにまとめること。

16 一切
◎全然。全く。

17 彩
◎色鮮やかに飾ること。

18 援用
◎自己の主張の助けとして、文献などをいんようすること。

19 奥義
◎学問、技芸の最もおく深いところ。

20 温存
◎使わずにとっておくこと。

1 広大な土地を**カイコン**する。

2 調査結果を**カイセキ**する。

3 風紀の乱れを**ガイタン**する。

4 皇居の**カイワイ**を散策する。

5 真実を暴こうと**カクサク**する。

6 神話に**カタク**して話す。

7 暖かい**カッコウ**で外出する。

8 心の**カテ**にする。

9 道端に咲く**カレン**な花。

10 守備の**カンゲキ**を突かれる。

開墾　解析　慨嘆　界隈　画策　仮託　格好　糧　可憐　間隙

◎荒地を耕して田畑にすること。

◎細かくとき明かすこと。

◎いきどおり、なげくこと。

◎辺り近所。

◎はかりごとを企てること。

◎他の事を口実にすること。

◎身なり。「恰好」とも書く。

◎活動の本源。

◎かわいらしいさま。

◎すきま。

11 冷静に自己を**カンショウ**する。

12 生地の**カンショク**を楽しむ。

13 試合に**カンゼン**と臨む。

14 眠気で思考が**カンマン**になる。

15 **ガンメイ**な相手を説得する。

16 **カンリョウ**に依存しない政治。

17 仏教に**キエ**する。

18 **キゼン**とした態度で対処する。

19 彼は**キモ**が据わっている。

20 ミスをして**キュウチ**に陥る。

観照

感触

敢然

緩慢

頑迷

官僚

帰依

毅然

肝

窮地

◎対象をあるがままの姿で冷静に眺めること。

◎手ざわり。

◎物事を思い切って行うさま。

◎ゆっくりなさま。

◎思考に柔軟性がないさま。

◎役人。とくに上級の役人。

◎神仏など優れたものに服従し、すがること。

◎意志が強く物事に動じないさま。

◎「キモが据わる」は、度胸があること。

◎追い詰められ逃げようのない状態。

1 財政が**キュウボウ**する。

2 **キュウヨ**の策で取り繕う。

3 **キョウギ**の解釈で捉える。

4 民衆に一揆を**キョウサ**する。

5 **キョウジュン**の意を示す。

6 多少の誤差は**キョヨウ**する。

7 無事に**キロ**につく。

8 友人の**グチ**を聞く。

9 **ク**ちることのない希望を抱く。

10 修行に励み**クドク**を積む。

窮乏
◎ひどく貧しいこと。

窮余
◎とりあえず。

狭義
◎言葉が持つ意味の範囲のせまい方。

教唆
◎おだてそそのかすこと。

恭順
◎謹んで従うこと。

許容
◎ゆるして受け入れること。

帰路
◎かえり道。

愚痴
◎どうにもならないことを言って嘆くこと。

朽
◎衰えてなくなること。

功徳
◎世のため、人のためにする行為。

11 国民を**グロウ**する背信行為。

12 恩師の**クントウ**を受ける。

13 重大事件が**ケイキ**する。

14 神の**ケイジ**を受ける。

15 勝負の**ケイセイ**が逆転する。

16 噴火の**ケイセキ**が発見される。

17 構造上の**ケッカン**がある。

18 環境対策に**ゲンキュウ**する。

19 問題の**ゲンキョウ**を探る。

20 **ケンメイ**に救助活動を行う。

愚弄
◎他人を見下しからかうこと。

薫陶
◎人を感化し優れた人材にすること。

継起
◎物事が引き続いておこること。

啓示
◎教えをしめすこと。

形勢
◎状況や力関係。

形跡
◎物事が存在したあと。物事が起こったあと。

欠陥
◎かけて足りないこと。

言及
◎その事柄にいいおよぶこと。

元凶
◎様々な悪事の根源となるもの。

懸命
◎力いっぱい頑張ること。

1 英単語の**ゴイ**を増やす。

2 **ゴウガン**な態度が反感を買う。

3 **コウゲン**にのせられる。

4 語源を**コウショウ**する。

5 些細なことに**コウデイ**する。

6 経過を**コクメイ**に記録する。

7 正式な**コショウ**を発表する。

8 幼児の体調を**コリョ**する。

9 紛争の**コンゲン**を絶つ。

10 **コンシン**の力を込めて投げる。

語彙
傲岸
巧言
考証
拘泥
克明
呼称
顧慮
根源
渾身

◎ある一つのげんごの、すべてのたんご。

◎思い上がっていばっているさま。

◎ことばを飾り立て、うまくいうこと。

◎古い書物について文献でじっしょう的に研究すること。

◎こだわること。

◎細かな点まではっきりさせているさま。

◎名づけること。よび名。

◎気にかけること。

◎物事のもととなること。

◎体中。ぜんしん。

11 一定の規格に**サイダン**する。

12 経営者の**サイリョウ**に任せる。

13 **サクイ**を施した文章。

14 他人の利益を**サクシュ**する。

15 指揮系統が**サクソウ**している。

16 **ザセツ**を経験して成長する。

17 国際交流に**サンヨ**する。

18 国の将来について**シイ**する。

19 食べ物の**シコウ**が偏っている。

20 母は**ジヒ**深い人だ。

裁断
◎型に合わせてたち切ること。

裁量
◎自分で判断し処理すること。

作為
◎ことさらに手を加えること。つくりごと。

搾取
◎労働から生み出された利益を我が物にすること。

錯綜
◎物事が複雑に入り混じっていること。

挫折
◎中途でくじけること。

参与
◎ある事柄に関係すること。

思惟
◎心に深く考えおもうこと。

嗜好
◎このみ。

慈悲
◎憐れむ心。

1 論議が**シベン**的になる。

2 過去の実績を**ジマン**する。

3 **ジュウオウ**に移動する。

4 情報が**シュウセキ**する。

5 新しい環境に**ジュンノウ**する。

6 詩を読み心が**ジョウカ**される。

7 財産を**ジョウト**する。

8 努力の**ショサン**を目にする。

9 **ショヨ**の条件を満たす。

10 **シロウト**らしからぬ出来だ。

思弁 自慢 縦横 集積 順応 浄化 譲渡 所産 所与 素人

◎純粋なしこう。

◎じぶんに関することについて他人に誇ること。

◎自由自在に。

◎あつまりつもること。

◎その状況にふさわしいように変化すること。

◎清めること。カタルシス。

◎ゆずりわたすこと。

◎うみ出されるもの。

◎あたえられるもの。

◎ある事柄に対して経験が浅いひと。

11 **シンコウ**財閥が力を強める。

12 **ジンソク**に処置を施す。

13 様々な感情が**セイキ**する。

14 文学の**セイズイ**に触れる。

15 企業と**セッショウ**を重ねる。

16 **セツレツ**な文章を添削する。

17 **センパク**な認識を正す。

18 新旧の価値観が**ソウコク**する。

19 損失を所得で**ソウサイ**する。

20 混雑を**ソウテイ**した警備。

新興 ◎あたらしい勢力が盛んになること。

迅速 ◎すみやかなこと。

生起 ◎おこること。

精髄 ◎最も大切な部分。

折衝 ◎問題解決に向け、有利になるように話し合うこと。

拙劣 ◎下手なさま。

浅薄 ◎あさはかなさま。

相克 ◎互いに相手に勝とうと争うこと。

相殺 ◎互いに差し引いて帳消しにすること。

想定 ◎ある状況を仮にせっていすること。

1 彼は**ソウメイ**で魅力的だ。

2 **ソゼイ**を徴収する。

3 神は存在すると**ソテイ**する。

4 別の物で**ダイタイ**する。

5 伝統文化が**タイハイ**する。

6 職務の**タイマン**を指摘する。

7 用途が**タキ**にわたる。

8 異国の情緒が**タダヨ**う。

9 **タマシイ**を込めて制作する。

10 裁判官を**ダンガイ**する。

聡明
◎物事に対する理解が早いさま。

租税
◎年貢やぜいきん。

措定
◎ある命題を主張すること。

代替
◎かわり。

退廃
◎くずれ衰えること。「頽廃」とも書く。

怠慢
◎なまけてなおざりにするさま。

多岐
◎物事が、たほうめんに分かれていること。

漂
◎ある雰囲気が感じられる。

魂
◎精神。気力。

弾劾
◎厳しく責任を追及すること。

11 彼女とは長年の**チキ**だ。

12 彼の作品には**チセツ**さが残る。

13 長年**チョウホウ**している道具。

14 芸術の世界に**チンセン**する。

15 作業中に**ツイラク**する。

16 業務を**テイケイ**する。

17 新たな構想を**テイショウ**する。

18 労働基準法に**テイショク**する。

19 権力争いに**テイネン**を抱く。

20 多様な考えを**トウカツ**する。

知己
◎自分の心をよくしってくれている人。

稚拙
◎子どもじみて下手なこと。

重宝
◎便利でよく使うこと。

沈潜
◎物事に深く入り込むこと。

墜落
◎高所からおちること。

提携
◎協力して行うこと。

提唱
◎ある事を主張すること。

抵触
◎法にふれること。

諦念
◎あきらめの気持ち。

統括
◎一つにまとめること。

1 システムを**トウギョ**する。

2 画面の向こう側を**トウシ**する。

3 **トウテツ**したピアノの音色。

4 **トウメイ**感が漂う作風だ。

5 **トホウ**もない計画に驚く。

6 モラルの低下を**ナゲ**く。

7 **ナツ**かしい音色が聞こえる。

8 作業に**ニンタイ**を要する。

9 開発の費用を**ネンシュツ**する。

10 現行の制度を**ハイシ**する。

統御　透視　透徹　透明　途方　嘆　懐　忍耐　捻出　廃止

◎全体をまとめて支配すること。

◎すかしてみること。

◎すき通って澄んでいるさま。

◎すき通っているさま。

◎「トホウもない」は、並外れていること。

◎悲しく思い、憤ること。

◎親しみを感じ、心がひかれること。

◎たえしのぶこと。

◎なんとか作りだすこと。

◎やめて行わないこと。

11 不適切な申請を**ハイセキ**する。

12 細胞を取り出して**バイヨウ**する。

13 真情が**ハツロ**する。

14 無駄を**ハブ**いて簡潔にする。

15 **ハンザツ**な操作をこなす。

16 進路の選択に**ハンモン**する。

17 **ヒキン**な例を挙げる。

18 大臣の失脚は**ヒッシ**だ。

19 自由を**ヒョウショウ**した絵画。

20 地震が**ヒンパツ**する。

排斥 ◎拒み退けること。

培養 ◎人工的に増殖させること。

発露 ◎表に現れること。

省 ◎除くこと。

煩雑 ◎入り混じっていて、わずらわしいさま。

煩悶 ◎悩み苦しむさま。

卑近 ◎日常的で、てぢかなこと。俗っぽいこと。

必至 ◎かならずそうなること。

表象 ◎シンボルとしてあらわすこと。

頻発 ◎たびたび起こること。

1 **フオン**な気配を察知する。

2 事業の発展に日夜**フシン**する。

3 関連する**ブンケン**を収集する。

4 重要な書類を**フンシツ**する。

5 細胞が連鎖的に**ブンレツ**する。

6 資本主義の**ヘイガイ**を知る。

7 **ヘイコウ**感覚を養う。

8 彼の長話には**ヘイコウ**する。

9 建築史の**ヘンセン**をたどる。

10 過去の**ヘンレキ**を語る。

不穏
◎おだやかでないさま。

腐心
◎こころを痛め悩ますこと。

文献
◎史料となるぶんしょや書物。

紛失
◎他とまぎれてなくすこと。

分裂
◎わかれさけること。

弊害
◎がいとなる悪い物事。

平衡
◎つり合いが取れていること。バランス。

閉口
◎困って言葉が出ないこと。

変遷
◎移りかわること。

遍歴
◎様々な体験をすること。

11 少数は多数に**ホウセツ**される。

12 伝統的な習慣を**ボクシュ**する。

13 **ボンヨウ**で退屈な人物。

14 実績は**マイキョ**に暇がない。

15 眩いばかりに星が**マタタ**く。

16 **ムイ**な休日を過ごす。

17 **ムセッソウ**な言動に呆れる。

18 歴史的教訓を心に**メイキ**する。

19 費用を**メイリョウ**に表示する。

20 反対する気は**モウトウ**ない。

包摂
◎ひっくるめること。

墨守
◎固くまもり続けること。

凡庸
◎人並み。

枚挙
◎「マイキョに暇がない」は、大量でいちいち数え切れない。

瞬
◎光が明るくなったり暗くなったりすること。

無為
◎何もせずにぶらぶらすること。

無節操
◎信念がなく、成り行きにまかせるさま。

銘記
◎刻み込むこと。

明瞭
◎あきらかであること。

毛頭
◎少しも。

1 執行**ユウヨ**付きの判決。

2 状況の悪化を**ユウリョ**する。

3 **ユカイ**なひと時を過ごす。

4 既成価値を**ヨウゴ**する。

5 **ヨウシャ**なく風が吹きつける。

6 語学力を**ヨウセイ**する。

7 患者の**ヨウダイ**が急変する。

8 民族の分断を**ヨギ**なくされる。

9 衝動的な感情を**ヨクセイ**する。

10 祭りの**ヨジョウ**に浸る。

猶予 憂慮 愉快 擁護 容赦 養成 容体 余儀 抑制 余情

◎実行の期日を延ばすこと。

◎心配すること。

◎楽しくて心地よいさま。

◎かばいまもること。

◎控えめにすること。

◎育みせいちょうさせること。

◎病気のありさま。「容態」とも書く。

◎「ヨギなく」は、方法がない。

◎おさえ止めること。

◎後まで残る味わいのある風情。深い印象。

11 権利を不当に**ランヨウ**する。

12 公約を**リコウ**する。

13 祖父の**リンジュウ**に立ち会う。

14 万物は**ルテン**する。

15 **レイコク**な仕打ちを受ける。

16 情勢を**レイテツ**に判断する。

17 遠く離れた故郷を**レンボ**する。

18 受け継いだ技を**レンマ**する。

19 **ロボウ**の花を摘む。

20 活動の現状に**ロンキュウ**する。

濫用
◎むやみに使うこと。「乱用」とも書く。

履行
◎じっこうすること。

臨終
◎死の間際。

流転
◎絶えずながれ、移り変わっていくこと。

冷酷
◎つめたくむごいさま。

冷徹
◎れいせいで物事を鋭く見抜くさま。

恋慕
◎こいしたうこと。

練磨
◎技芸や学問をみがくこと。「錬磨」とも書く。

路傍
◎道端。

論及
◎ある事にろんじて言いおよぶこと。

志望パターンに応じて選択できる
出口の システム現代文 シリーズ

```
          ┌─────────────────────┐      ┌────┐   ┌──────┐
          │    バイブル編       │◀┈┈┈┈│ベー│   │解法  │
          └─────────────────────┘      │シッ│   │公式  │
             │         │                │ク編│   │集    │
             │         ▼                │    │   │      │
             │    ┌──────────┐          │    │   │（全  │
             │    │ 私大対策編│          │    │   │ 編   │
             │    └──────────┘          │    │   │ 対   │
             │         │                │    │   │ 応   │
             │         ▼                │    │   │ ）   │
             │    ┌──────────────┐      │    │   │      │
             │    │ 論述・記述編 │      │    │   │      │
             │    │(国公立大二次・難関私大)│    │   │      │
             │    └──────────────┘      │    │   │      │
             │         │                │    │   │      │
             │         ▼                │    │   │      │
             │    ┌──────────────────┐  │    │   │      │
             │    │ 実戦演習編（大予言）│  │    │   │      │
             │    └──────────────────┘  │    │   │      │
             ▼         │                │    │   │      │
      ┌──┬──┐         ▼                ▼    │   │      │
      │理系│文系│  ┌────┬────┬────┐          │   │      │
      │    │    │  │難関│中堅│短大│          │   │      │
      │国・公立大 │  │私大│私大│    │          │   │      │
      └──────────┘  └────┴────┴────┘          │   │      │
                         推 薦 入 試
```

ベーシック編 ●本体価格 1200円
現代文の苦手な高校生の福音の書。現代文がたちまち得意になる1冊！

バイブル編 ●本体価格 1200円
現代文学習に「革命」をもたらした、現代文シリーズの中核となる1冊！

私大対策編 ●本体価格 1200円
難関私大の複雑な問題も、論理的解法で全問正解を可能にした1冊！

論述・記述編 ●本体価格 1200円
「書かせる問題」も楽々クリア。国公立大二次、難関私大合格への1冊！

実践演習編 ●本体価格 1200円
入試を知り尽くした出口の大予言。満点対策の総仕上げとなる1冊！

解法公式集 ●本体価格 680円
真の論理的読解法を、公式としてコンパクトにまとめた1冊！

読み

近年の入試問題に出題されたものから、出題頻度の高い順にA、B、Cの三ランクに分けています。読みの問題では、常用漢字以外からの出題も少なくありません。多様な読みを持つ漢字に注意して、意味とともに覚えましょう。

1 過去の罪を贖う。
2 経験の如何を問わない。
3 着物を粋に着こなす。
4 研究者の意気地が伝わる。
5 意匠を凝らした作品。
6 子ども用の椅子を買う。
7 珠玉の逸品を紹介する。
8 待ち時間が長く苛立つ。
9 倦むことなく練習を続ける。
10 穿った見方をする。

あがな
いかん
いき
いくじ
いしょう
いす
いっぴん
いらだ
う
うが

◎罪をつぐなう。
◎事の次第。
◎あかぬけていて色気があること。
◎自分のやりたいことをやり抜こうという気持ち。
◎工夫。
◎腰かけるための家具。
◎優れた作品や品物。
◎思い通りにならず、じれったくなる。
◎嫌になる。飽きる。
◎知られていない事情を詮索する。暴く。

11 母の表情を**窺**う。

12 **恭**しい口調で口上を述べる。

13 若者の**叡智**を育てる。

14 **大仰**にため息を吐く。

15 暗闇に**怯**える。

16 悔しさに唇を**噛**む。

17 **神楽**には様々な系統がある。

18 町は**瓦礫**の山と化した。

19 景気回復の**兆**しがある。

20 彼は**生粋**の江戸っ子だ。

うかが

うやうや

えいち

おおぎょう

おび

か

かぐら

がれき

きざ

きっすい

◎密かに様子を探ること。

◎礼儀正しく丁重に接すること。

◎優れた才能や知恵。「英知」も同意。

◎おおげさなさま。

◎怖がってびくびくすること。

◎上下の歯を合わせること。

◎神を祭るときに演奏する歌や舞い。

◎値打ちのない物のたとえ。

◎物事が起ころうとする気配。

◎まじりけがないこと。

1 詭弁で論点をはぐらかす。

2 矩形の輪郭を描く。

3 薬の効用を世界に喧伝する。

4 不満そうな口吻をもらす。

5 極彩色の衣装を着る。

6 忽然と姿を消す。

7 今年は殊に豊作だった。

8 諺は文章に生彩を与える。

9 賢しく戦局をうかがう。

10 桟敷で花火を見る。

きべん

くけい

けんでん

こうふん

ごくさいしき

こつぜん

こと

ことわざ

さか

さじき

◎筋道が通らないことを正当化して論じること。

◎長方形。「さしがた」とも読む。

◎世間に言いはやし、広く伝えること。

◎「口吻をもらす」は、内心が分かるような話し方をする。

◎派手でけばけばしい色どり。

◎たちまち。突然。

◎とりわけ。

◎昔から人々が習慣的に使っていた言葉。

◎賢明である。利口である。

◎祭りや相撲などを見るために高く作った見物席。

11 **山麓**に雪が降る。

12 **屍**を丁重に葬る。

13 彼が怒るのは**至極**当然だ。

14 **桎梏**から解放される。

15 頭ごなしに**叱責**する。

16 **老舗**の味を守る。

17 悪天候は**暫**く続きそうだ。

18 渋滞で車が**数珠**繋ぎになる。

19 反逆者を**呪詛**する。

20 故郷を**出奔**する。

さんろく

しかばね

しごく

しっこく

しっせき

しにせ

しばら

じゅず

じゅそ

しゅっぽん

◎山のふもと。

◎死体。なきがら。

◎きわめて。まったく。

◎行動を厳しく制限し、自由を束縛するもの。

◎叱りとがめること。

◎先祖代々の家業を守り継いでいる店。

◎当分の間。

◎「数珠繋ぎ」は、多くの物や人を一繋ぎにすること。

◎相手をのろうこと。

◎逃げて行方をくらますこと。

1 事実と意見を**峻別**する。

2 平安時代の**装束**を身につける。

3 **熾烈**な戦いを繰り広げる。

4 伝統芸能の**深奥**を究める。

5 彼の人気は**凄**い。

6 **頗**る体調が良い。

7 無益な**殺生**を繰り返す。

8 公私を**截然**と区別する。

9 根掘り葉掘り**詮索**する。

10 名作を**咀嚼**しながら読む。

しゅんべつ

しょうぞく

しれつ

しんおう

すご

すこぶ

せっしょう

せつぜん

せんさく

そしゃく

◎厳しく区別すること。

◎衣服。装い。

◎勢いが盛んで激しいさま。

◎奥の深いところ。

◎驚くほど程度がはなはだしい。

◎大層。おびただしい。

◎生き物を殺すこと。

◎区別がはっきりとしているさま。

◎細かいところまで調べること。

◎物事や文章の意味をよく考えて、理解し味わうこと。

11 犯罪の実行を**唆**す。
そそのか
◎特に悪いほうへ誘い入れること。

12 深刻な問題と**対峙**する。
たいじ
◎向き合って立つこと。

13 暴力は**唾棄**すべき行為だ。
だき
◎軽蔑して嫌うこと。

14 人生の**黄昏**時を迎える。
たそがれ
◎物事の盛りが過ぎ、終わりに近い頃。

15 **忽**ち噂が広がる。
たちま
◎にわかに。すぐに。

16 **耽溺**した生活を送る。
たんでき
◎不健全な遊びにおぼれること。

17 貨幣を**鋳造**する。
ちゅうぞう
◎金属を溶かし、鋳型に流しこんで物を作ること。

18 経済が発展を**遂**げる。
と
◎最後にそのような結果になること。

19 **咄嗟**の判断が功を奏す。
とっさ
◎ごくわずかな時間。

20 **俄**に雨が降る。
にわか
◎急に。突然。

1 規則に背馳する行動をとる。

2 政府の名誉を辱める。

3 説得力のある反駁を加える。

4 人目を惹く衣装を着る。

5 両親の庇護のもとに育つ。

6 国家権力への抵抗を標榜する。

7 麓の村に雪が降る。

8 時代の波に翻弄される。

9 蒔絵が施された器。

10 末期の願いを聞き入れる。

はいち

はずかし

はんばく

ひ

ひご

ひょうぼう

ふもと

ほんろう

まきえ

まつご

◎反対し背くこと。

◎名誉や地位などを傷つけること。

◎反論すること。

◎関心を呼ぶこと。

◎かばい守ること。

◎主張を公然と掲げ表すこと。

◎山すそ。山の下の方。

◎思うままにもてあそぶこと。

◎金銀粉や色粉を漆器の上にまきつけ絵模様を表す技法。

◎死に際。

11 惨めな敗北を喫する。

みじ

◎見るに忍びないさま。

12 変わり者だと揶揄される。

やゆ

◎からかうこと。

13 家庭科の授業で浴衣を縫う。

ゆかた

◎主に夏季に着る、木綿の単衣の着物。

14 夭折した詩人の作品を読む。

ようせつ

◎若くして亡くなること。

15 拉致問題の解決に努める。

らち

◎無理やり連れて行くこと。

16 実績で他社を凌駕する。

りょうが

◎他をしのいでその上に抜き出ること。

17 遠島に流謫される。

るたく

◎遠方に流刑されること。「りゅうたく」とも読む。

18 期限まで残り僅かである。

わず

◎ほんの少しであること。

19 暁に山頂にたどり着く。

あかつき

◎夜明け。明け方。

20 どんな苦労も厭わない。

いと

◎嫌がる。

1 遺漏のないように準備する。
2 有料道路を迂回する。
3 教養が身についたと自惚れる。
4 若い女性が嬰児を抱いている。
5 他の商品と一線を画する。
6 言葉の変遷に隔世の感がある。
7 農村風景を闊達に描く。
8 世相を喝破する。
9 文章の含意を読み取る。
10 甲高い声で叫ぶ。

いろう
うかい
うぬぼ
えいじ
かく
かくせい
かったつ
かっぱ
がんい
かんだか

◎手抜かりがあること。
◎まわり道をすること。
◎実際以上に自分が優れていると思うこと。
◎生まれたばかりの子。乳飲み子。
◎物事をはっきり区分する。
◎「隔世の感」は、時代の移り変わりを感じること。
◎度量が広く小さなことにこだわらないさま。
◎物事の真理を明言すること。
◎表面には現れない意味を含み持つこと。
◎声の調子が高く鋭いこと。

11 幸せな境涯を得る。

12 裁判所の判決が覆る。

13 些末な内容の話。

14 情報を適切に取捨する。

15 昔日のアルバムを開く。

16 イルカと戯れながら泳ぐ。

17 恩師の志を継ぐ。

18 客を懇ろにもてなす。

19 専務を社長に擁立する。

20 記憶が鮮やかに甦る。

きょうがい

くつがえ

さまつ

しゅしゃ

せきじつ

たわむ

つ

ねんご

ようりつ

よみがえ

◎この世で生きていくうえで置かれた様々な立場。

◎それまでの考えや決定が根本から変わること。

◎取るに足らない小さなこと。

◎よいものや必要なものを選び取ること。

◎むかし。いにしえ。

◎遊び興じること。

◎絶えないように引き続き行うこと。

◎心遣いが細やかであるさま。

◎高い地位に就かせようともりたて、支持すること。

◎一度衰退したものが再び活力を取り戻すこと。

1 旅行当日は**生憎**の雨だった。

2 授業中に**欠伸**をかみ殺す。

3 **悪辣**な手段を講じる。

4 小説の**粗筋**を語る。

5 監督が選手を**一喝**する。

6 野党の要求を**一蹴**する。

7 死者に**引導**を授ける。

8 金品を床下に**隠匿**する。

9 部屋の隅に**蹲**る。

10 組織内部の**膿**を出す。

あいにく

あくび

あくらつ

あらすじ

いっかつ

いっしゅう

いんどう

いんとく

うずくま

うみ

◎期待や目的にそぐわず都合の悪いさま。

◎眠い時や退屈な時などに起こる呼吸運動。

◎あくどいこと。たちが悪いこと。

◎おおよその筋道。概略。

◎大きな声で一声にしかること。

◎はねつけること。

◎葬儀の時に死者に法語を説くこと。導くこと。

◎隠すこと。秘密にすること。

◎体を丸めてしゃがむこと。

◎団体などの内部にある弊害。

11 臨時収入で家計が**潤**う。

12 通行止めのため**迂路**を通る。

13 結果を**云云**する。

14 **悔悟**の涙を流す。

15 **固唾**をのんで決勝戦を見守る。

16 互いの意見が**合致**する。

17 記念碑の裏面に**揮毫**する。

18 考えを**忌憚**なく述べる。

19 伝統工芸の普及を**企図**する。

20 首相が**急遽**渡米する。

11 うるお ◎ゆとりが出る。豊かになる。

12 うろ ◎遠回りの道。

13 うんぬん ◎あれこれと、とやかく言うこと。

14 かいご ◎自分の非を認め悔いること。

15 かたず ◎緊張している時などに口内に溜まる唾。

16 がっち ◎ぴったり合うこと。

17 きごう ◎毛筆で文字や絵をかくこと。

18 きたん ◎はばかることなく。遠慮なく。

19 きと ◎あることを計画すること。

20 きゅうきょ ◎あわただしいさま。

1 子どもの心を擽る絵本。
2 上司の逆鱗に触れる。
3 一切の悩みから解脱する。
4 犯罪の嫌疑をかけられる。
5 彼には高踏な雰囲気がある。
6 思わぬ被害を蒙る。
7 駅前で鼓笛を披露する。
8 今年の桜は殊更に美しい。
9 研究の誤謬を正す。
10 毎朝定刻になると勤行する。

くすぐ
げきりん
げだつ
けんぎ
こうとう
こうむ
こてき
ことさら
ごびゅう
ごんぎょう

◎相手の心を刺激し、いい気持ちにさせること。
◎目上の人の怒り。
◎様々な束縛から解かれ、自由の境地に達すること。
◎犯罪の事実があるのではないかという疑い。
◎世俗を離れて気高く身を保つこと。
◎身に受ける。
◎太鼓と笛。
◎とりわけ。格別に。
◎誤り。
◎仏前で定刻に行う読経や礼拝。

11 災厄から身を守る。
さいやく
◎災い。災難。

12 昨今は非喫煙者が増えた。
さっこん
◎今日この頃。

13 大量の殺戮を回避する。
さつりく
◎むごたらしく多くの人を殺すこと。

14 兄弟げんかは日常茶飯事だ。
さはんじ
◎日常の中のごくありふれたこと。

15 四囲の山並みを眺める。
しい
◎周囲。

16 ガラス瓶を煮沸消毒する。
しゃふつ
◎煮立たせること。

17 窓の周縁に飾りをつける。
しゅうえん
◎まわり。ふち。

18 自分の未熟さに羞恥を覚える。
しゅうち
◎恥ずかしいと感じる気持ち。

19 私に買える代物ではない。
しろもの
◎売買する品物。商品。

20 科学の深淵をのぞき見る。
しんえん
◎奥深いところ。

1 時代の趨勢を見抜く。
2 凄絶な闘病生活を送る。
3 贅沢に刺繍を施す。
4 恐怖のあまり絶叫する。
5 選挙の大勢を決する。
6 内裏は天皇の住まいである。
7 地域社会の紐帯が深まる。
8 文章に彫琢を凝らす。
9 公園の一角に神社が鎮座する。
10 賃貸の物件を探す。

すうせい
せいぜつ
ぜいたく
ぜっきょう
たいせい
だいり
ちゅうたい
ちょうたく
ちんざ
ちんたい

◎物事の成り行き。
◎非常に凄まじいさま。
◎ふさわしい程度を超えていること。
◎声の限りに叫ぶこと。
◎物事のおおよその形勢。
◎御所。皇居。
◎二つの物を結びつけるもの。「じゅうたい」とも読む。
◎詩文を推敲し、よいものにすること。
◎人や物がどっかりと座を占めること。
◎賃料を取って物を貸すこと。

11 日々の思いを綴る。

12 食生活は等閑にはできない。

13 盗賊の取締りを行う。

14 美しい旋律に瞠目する。

15 柔和な笑みをたたえる。

16 破天荒の試みをする。

17 世界経済が袋小路に迷い込む。

18 洗礼者が瞑想に耽る。

19 商品の在庫が払底する。

20 弟だけを偏愛する。

つづ

とうかん

とうぞく

どうもく

にゅうわ

はてんこう

ふくろこうじ

ふけ

ふってい

へんあい

◎言葉を連ねて文章を作ること。

◎いい加減に行うこと。「なおざり」とも読む。

◎どろぼう。盗人。

◎驚いたり感心したりして目を見張ること。

◎性質や態度が柔らかいこと。

◎今まで誰も成し得なかった事をすること。

◎物事が行き詰まること。

◎あることに没頭すること。

◎すっかりなくなること。

◎偏って愛すること。

1 重大な危機に逢着する。

2 時には嘘も方便だ。

3 放埓な行動が和を乱す。

4 自己中心的な風潮が蔓延する。

5 選手の成長は監督冥利だ。

6 演習するより寧ろ復習したい。

7 経営の全権を委ねる。

8 新薬の成功を礼賛する。

9 身の丈を弁えて発言する。

10 不治の病を患う。

ほうちゃく

ほうべん

ほうらつ

まんえん

みょうり

むし

ゆだ

らいさん

わきま

わずら

◎出くわすこと。

◎目的を達成するために都合のよいてだて。

◎好き勝手にふるまうこと。

◎勢いが盛んになり広がっていくこと。

◎ある立場にいることで受ける恵み。

◎どちらかというと。

◎すべてを任せること。

◎ありがたいこととして褒め称えること。

◎注意深く判断する。

◎病にかかる。

11 講演で地方を**行脚**する。

12 家族の**安穏**を願う。

13 戦死した犠牲者を**悼**む。

14 **寡聞**にして存じ上げません。

15 画家として**稀有**な存在だ。

16 演技の**滑稽**さに思わず笑う。

17 平和を願い大仏を**建立**する。

18 **恣意的**な報道を非難する。

19 **時雨**により虹がかかる。

20 **疾病**を早期に発見する。

あんぎゃ

◎様々な地域を巡ること。

あんのん

◎心が落ち着いていて無事でいるさま。

いた

◎他人の死を悲嘆すること。

かぶん

◎知識や経験が浅いこと。へりくだる時に用いる。

けう

◎不思議で珍しいさま。

こっけい

◎おどけていて大層おもしろいこと。

こんりゅう

◎寺院や塔などを立てること。

しいてき

◎考え方に筋道がなく自分勝手な思い付きであること。

しぐれ

◎秋から冬にかけて降る一時的な雨。

しっぺい

◎身体の機能に異常が生じること。病気。

1 登場人物の心情を捨象する。

2 常套の質問で面接試験を行う。

3 所詮勝ち目のない試合だ。

4 判決を真摯に受け止める。

5 友人を羨望のまなざしで見る。

6 戦略のない企業は淘汰される。

7 潮騒の音を聞き心が和む。

8 雪崩による事故を防止する。

9 父の生き方に倣う。

10 親子で代々暖簾を守る。

しゃしょう
じょうとう
しょせん
しんし
せんぼう
とうた
なご
なだれ
なら
のれん

◎ある事物から、他の側面や性質を排除すること。

◎ありふれたやり方。きまりきっているさま。

◎最終的に行き着くところ。

◎誠実で一途なさま。

◎自分もそのようになりたいと思うこと。

◎必要でないものは排除されること。

◎気持ちや表情がやわらぐこと。

◎斜面に積もった雪が一気に崩れ落ちること。

◎手本としてそれと同じようにすること。

◎店の品格や客からの信頼。

11 権利が剥奪される。

はくだつ

◎奪い取ること。

12 抵抗勢力に改革を阻まれる。

はば

◎行動を起こし、前に進もうとしているのを妨げること。

13 公の場で語ることは憚られる。

はばか

◎気を使ってためらうこと。

14 芳醇な料理に舌鼓を打つ。

ほうじゅん

◎味と香りが非常によいこと。

15 奔放な生き方に憧れる。

ほんぽう

◎何にもとらわれず自由に振舞うこと。

16 未曾有の経済危機に陥る。

みぞう

◎今だかつて一度も起こらなかった珍しいこと。

17 謀反の決意を家臣に伝える。

むほん

◎国を司る者に逆らうこと。

18 友人からの手紙に頬を緩める。

ゆる

◎表情や気持ちのかたさを解くこと。

19 過去の悪夢が蘇る。

よみがえ

◎勢いをなくしたものが再び盛んになること。

20 政策の規模を矮小化する。

わいしょう

◎物事の仕組みが小さいこと。

1 正倉院は校倉造で有名だ。
2 患者の苦痛を慰藉する。
3 弟子が衣鉢を継ぐ。
4 因循な考えを打破する。
5 指摘を素直に肯う。
6 先祖に回向する。
7 判定から結論を演繹する。
8 権威の恢復を図る。
9 真相を知り愕然とする。
10 ヒバリが空を翔る。

あぜくら
いしゃ
いはつ
いんじゅん
うべな
えこう
えんえき
かいふく
がくぜん
かけ

◎木材を横に積み重ねて壁を作った倉。
◎慰めていたわること。
◎師匠から伝えられる奥義。「えはつ」とも読む。
◎古いしきたりにとらわれて改めようとしないこと。
◎なるほどと思い、承諾すること。
◎死者の成仏を祈って仏事を営むこと。
◎意味をおし広げて説明すること。
◎失ったものをもう一度取り戻すこと。「回復」に同じ。
◎たいそう驚くさま。
◎空高く飛ぶこと。はばたくこと。

11 剃刀のような頭脳の持ち主だ。
かみそり
◎頭の回転が速く、鋭い考えを持っていること。

12 一年の吉凶を占う。
きっきょう
◎縁起がよいことと悪いこと。

13 肌理細かに対処する。
きめ
◎配慮が行き届いているさま。「木目」に同じ。

14 感謝の意を述べ話を括る。
くく
◎物事をまとめること。

15 純粋な精神が穢れる。
けが
◎清らかさが失われること。

16 嚆矢とするにふさわしい作品。
こうし
◎合戦の始まりを知らせる矢。物事の始まり。

17 裁判で黒白を争う。
こくびゃく
◎物事の善し悪しの区別。是非。「白黒」も同義。

18 実験が悉く失敗に終わる。
ことごと
◎残らずすべて。

19 手を拱いて看過する。
こまね
◎何もせずにただ見ていること。

20 囁くように語りかける。
ささや
◎小さな声で密やかに話すこと。

1 商店街は寂れる一方だ。

2 飢えに身を曝す。

3 近代思想の残滓をみる。

4 惨憺たる結果に落胆する。

5 時宜に応じて人材を募集する。

6 忸怩たる思いを募らせる。

7 凶悪事件を惹起する。

8 英語を喋る機会が増える。

9 紫外線を遮蔽する。

10 夢の実現に対して逡巡する。

さび

さら

ざんし

さんたん

じぎ

じくじ

じゃっき

しゃべ

しゃへい

しゅんじゅん

◎活気がなくなり、ひっそりとした雰囲気になること。

◎危険、もしくは困難な状況に置くこと。

◎あとに残った不要な物。

◎見るに耐えないほどいたましいさま。

◎時期がちょうどよいこと。「しぎ」とも読む。

◎深く恥じるさま。

◎事件や問題などを引き起こすこと。

◎話すこと。

◎露出することがないように覆うこと。

◎決断できずに手間取ること。

11 爆風で顔が煤ける。

12 人生はマラソンに喩えられる。

13 握りしめた掌を開く。

14 墓前に花を手向ける。

15 箪笥は嫁入り道具の一つだ。

16 入試問題を緻密に分析する。

17 嫡子の誕生を喜ぶ。

18 三月末に雪が降るとは椿事だ。

19 公用の文書を逓伝する。

20 友人の訃報を聞き慟哭する。

すす

◎黒く汚れること。

たと

◎ある物を他の何かに見立てて表現すること。

たなごころ

◎手のひら。「てのひら」とも読む。

たむ

◎供物を捧げること。

たんす

◎衣類や道具などをしまっておくための家具。

ちみつ

◎注意深く丁寧で落ち度のないさま。

ちゃくし

◎家の財産や事業を譲り受ける者。長男。

ちんじ

◎思いがけない重大なできごと。「珍事」とも書く。

ていでん

◎順々に伝えること。

どうこく

◎大声をあげて泣くこと。

1 文豪が逗留した旅館。

2 途轍も無い記録を打ち立てる。

3 駅前が最近頓に発展する。

4 悪徳商法が跋扈する。

5 魚籠を腰につける。

6 不埒な考えを抑える。

7 不当な蔑視を非難する。

8 湯桶にそば湯を入れる。

9 塗料を調合し緑青の色を出す。

10 興味本位で情報を漁る。

1 とうりゅう

2 とてつ

3 とみ

4 ばっこ

5 びく

6 ふらち

7 べっし

8 ゆとう

9 ろくしょう

10 あさ

◎しばらく留まること。

◎「途轍も無い」は、道理に合わない、途方も無い。

◎急に。にわかに。

◎勢いが盛んになり、幅を利かせること。

◎捕まえた魚を入れておく容器。

◎物事の筋道から外れていること。

◎あなどって馬鹿にすること。

◎飲むための液体を入れる、注ぎ口のついた容器。

◎銅を含む物に生じる緑色のさび。

◎あちこち探し求めること。

11 黄河文明の淵源を探る。

えんげん

◎物事のおおもと。はじまり。

12 厭世観が強くなり出家する。

えんせい

◎人生を無意味なものだと思うこと。

13 危険を顧みずに行動する。

かえり

◎気にかける。

14 優雅な挙措に品位を感じる。

きょそ

◎日常の動作。行い。

15 経費削減を頻りに訴える。

しき

◎しばしば。ひっきりなしに。

16 社交的で外交に長けている。

た

◎ある分野に優れている。

17 堆積した土砂を取り除く。

たいせき

◎積み重なること。

18 一言ぽつりと呟く。

つぶや

◎はっきりとしない小さな声で言うこと。

19 漢字は中国から伝播した。

でんぱ

◎すみずみまで伝わること。

20 強固な精神を陶冶する。

とうや

◎発展させる。養成する。

1 地震発生を瞬時に捉える。

2 医療の地域格差は甚だしい。

3 懐手で悠々自適に暮らす。

4 期待は脆くも崩れ去った。

5 恩師の死に哀惜の涙を流す。

6 予め現場を視察しておく。

7 鋳型にはめる教育から脱する。

8 政治家の不正行為に憤る。

9 究極の技法を会得する。

10 大学生活を謳歌する。

とら
はなは
ふところで
もろ
あいせき
あらかじ
いがた
いきどお
えとく
おうか

◎確実に把握すること。感じ取ること。

◎普通の度合いを超えていること。

◎人に任せて自分は何の手出しもしないこと。

◎持ちこたえることが困難なさま。

◎深く悲しみ、名残惜しいと思うこと。

◎事が起こる前に。

◎形式や質などの標準の型。

◎ひどく怒ること。

◎物事の道理が分かった上で、自分のものにすること。

◎おおいに楽しみ喜ぶこと。

11 傑作を読み快哉を唱える。

12 容疑者の逮捕に狂奔する。

13 今わの際に言葉を残す。

14 外来生物を駆逐する。

15 言霊信仰の起源を探る。

16 活動の記録を遡る。

17 山山の緑が滴る。

18 新作は前作を凌ぐ人気だ。

19 研究に必要な資料を蒐集する。

20 日本列島は脆弱な地盤を持つ。

かいさい

きょうほん

きわ

くちく

ことだま

さかのぼ

したた

しの

しゅうしゅう

ぜいじゃく

◎胸がすっとして痛快なこと。

◎目的達成のためにがむしゃらに励むこと。

◎「今わの際」は、命が尽きる時。

◎追い出すこと。

◎言葉に宿る神秘的な力。

◎過去やおおもとに立ち返ること。

◎美しさや生気が満ちていること。

◎追い抜いて上に出ること。

◎あちこちから様々なものを集めること。

◎壊れやすく弱弱しいこと。

1 地域医療の先達に学ぶ。
2 現代社会の相貌を論じる。
3 決定事項は逐次報告する。
4 巷の声を新聞に掲載する。
5 新車の購入を躊躇する。
6 大企業が凋落する。
7 論文作成で一日が潰れる。
8 文書の体裁を整える。
9 小説を読み作者の内奥に迫る。
10 滑らかな曲線を描く。

せんだつ
そうぼう
ちくじ
ちまた
ちゅうちょ
ちょうらく
つぶ
ていさい
ないおう
なめ

◎先に着手し功績を残した人。「せんだち」とも読む。
◎物事の様相。
◎順次。
◎世の中。世間の人々。
◎あれこれ迷ってためらうこと。
◎衰退し落ちぶれていくこと。
◎あることに時間が費やされ、空きがなくなること。
◎形式。
◎物や心の奥深いところ。
◎摩擦力が働かない状態。

11 ダムの建設工事に難渋する。

12 野党が反発することは必定だ。

13 河川の普請を視察する。

14 生活の不安を払拭する。

15 侮蔑した態度を非難する。

16 無頼な生活に終止符を打つ。

17 放恣な生活を悔い改める。

18 煩悩を断ち悟りを開く。

19 戦争は漸く終結した。

20 研究が爛熟期を迎える。

なんじゅう　◎円滑に物事が運ばないこと。

ひつじょう　◎きっとそうなると確信がもてること。

ふしん　◎建築や土木の工事。

ふっしょく　◎すべて消し去ること。

ぶべつ　◎見下して軽んじること。

ぶらい　◎仕事に就かず、素行の悪いこと。

ほうし　◎わがままで慎みのないこと。

ぼんのう　◎人の中にある様々な欲望。

ようや　◎やっとのことで。

らんじゅく　◎物事が完全な状態になること。

大学入試

論理でわかる現代文

基礎編

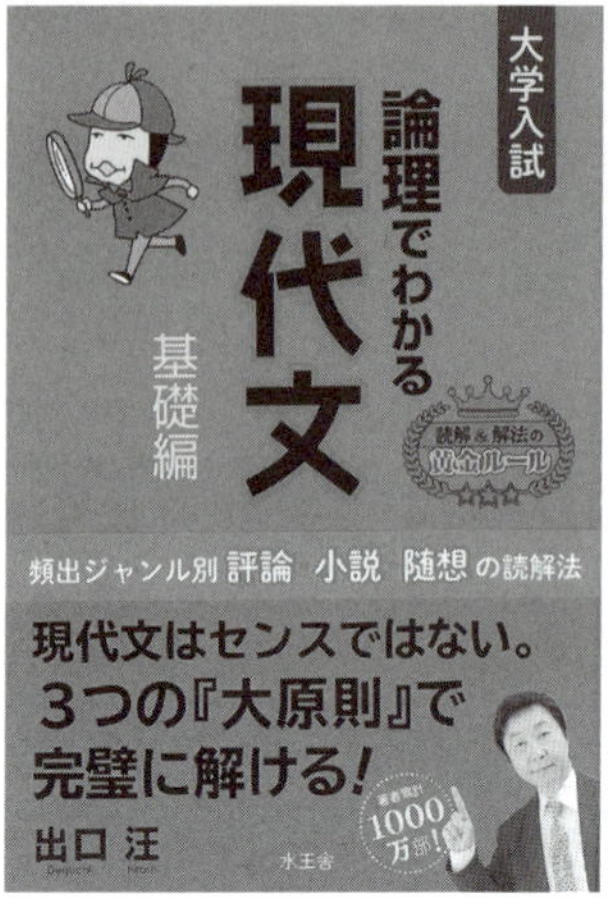

入試現代文「頻出ジャンル別」の対策編！
評論・小説・随想の読解法を基礎から入試対策まで学習できる1冊！

現代文はセンスや感覚で解くのではなく、「論理＝日本語の正しい規則」にしたがって読み解きます。本書をマスターして、現代文のルールを知り論理的な解き方を訓練すれば、初めて見る文章でも高得点が可能になります！

●本体価格● 1300円

大学入試

論理でわかる現代文

発展編

入試現代文「出題形式別」の対策編！
マークセンス方式・超長文問題・記述式問題を論理的に読み解くための必読書！

正しい論理的読解法が身につけば、どんな出題形式でも確実に得点できる。制限時間内で正確に内容を読み取り、読み取った内容を根拠に設問に答え、記述式の解答も筋道を立てて作成できるようになります！

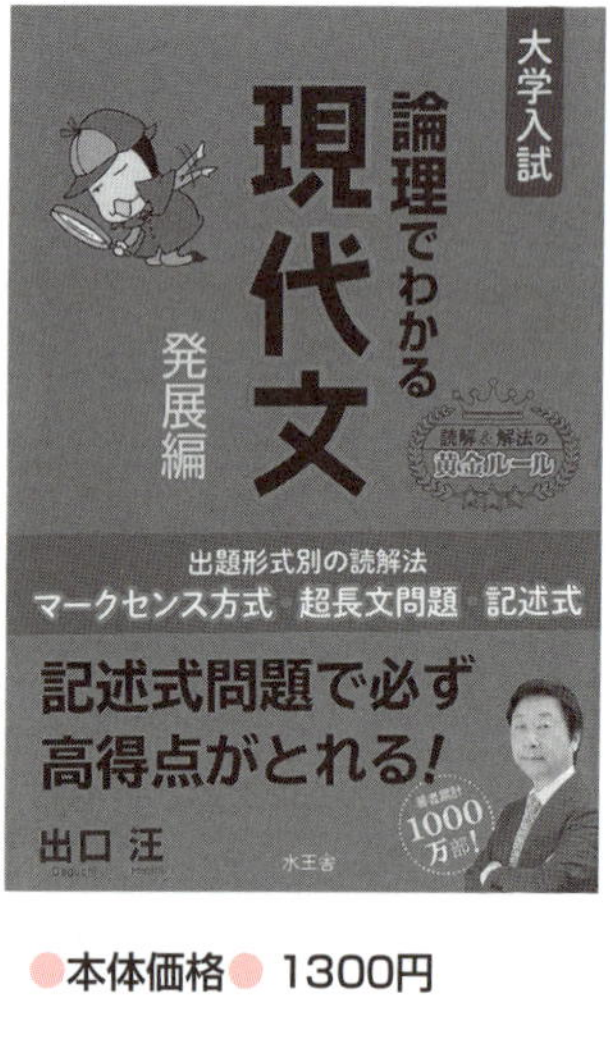

●本体価格● 1300円

語彙問題

過去の入試で出題された問題を、センター試験と同じ形式で載せています。例文の——線部と同じ漢字が使われているものを選択肢の中から選びましょう。また答えを選ぶだけでなく、選択肢すべての漢字を意味とともに覚えましょう。

読みと意味は必ずいっしょに覚えましょう。また、誤った書き方で覚えてしまっているものも多くあるものです。特に赤字の部分は要注意です。

1 牛の飼育を**イタク**する。

1 **イヤク**金を支払う。
2 **ジイ**を表明する。
3 **イキョク**を尽くして説明する。
4 **シュウイ**に気を配る。

2 通信**エイセイ**で生中継する。

1 **エイヨ**ある地位に就く。
2 彼の作品は**ゼンエイ**的だ。
3 真理は未来**エイゴウ**変わらない。
4 先人の**エイキョウ**を受ける。

3 財産分与の**タカ**が決まる。

1 **ゴウカ**な着物を身にまとう。
2 **フカ**の少ない運動を選択する。
3 私の友人は**カモク**だ。
4 **カジョウ**な出費はおさえる。

委託	代わりに頼む
違約	約束を破る
辞意	辞めようとする気持ち
委曲	詳しいこと
周囲	物の周り

衛星	「人工衛星」の略
栄誉	たいへんな名誉
前衛	先駆的で実験的
永劫	永久
影響	他の物事に力を及ぼす

多寡	多いことと少ないこと
豪華	ぜいたくで華やか
負荷	身に引き受ける
寡黙	口数の少ないこと
過剰	多すぎること

4

事件に**カイニュウ**する。

1 農地を**カイリョウ**する。
2 不動産の売買を**チュウカイ**する。
3 若者らしく**カイカツ**に行動する。
4 過去を**カイソウ**する。

5

勝利を**カクトク**する。

1 畑の麦を**シュウカク**する。
2 敵を**イカク**して攻撃する。
3 ここは**ホカク**禁止区域だ。
4 イベントを**キカク**する。

6

町の復旧を**カツボウ**する。

1 うるさい聴衆を**イッカツ**した。
2 **エンカツ**な議事進行を心がける。
3 天然資源が**コカツ**する。
4 各部門の予算を**ソウカツ**する。

介入　割り込む
改良　前よりよくする
仲介　仲立ち
快活　明るく元気なこと
回想　過去を振り返り思う

獲得　手に入れる
収穫　作物を取り入れる
威嚇　おどす
捕獲　捕らえる
企画　計画を立てる

渇望　しきりに望む
一喝　しかりつける
円滑　すらすらと滑らかだ
枯渇　尽きる
総括　全体をまとめる

7 熱を電気に直接**ヘンカン**する。

1 サークルへの**カンユウ**活動を行う。

2 **カンダイ**な処置をとる。

3 絵画を**カンテイ**する。

4 教室の**カンキ**を呼びかける。

8 注意を**カンキ**する。

1 **カンマン**な動きをする。

2 地震で土地が**カンボツ**する。

3 裁判で証人を**ショウカン**する。

4 **ゲンカン**の土地で暮らす。

9 莫大な利益を**カンゲン**する。

1 **ヤッカン**に同意する。

2 伯父は今年**カンレキ**を迎える。

3 **カンセイ**な住宅街に住む。

4 彼の意見は首尾**イッカン**している。

変換　別のものにかえる

勧誘　勧め誘う

寛大　心が広いこと

鑑定　目利きをする

換気　空気を入れ換える

喚起　注意などを呼び起こす

緩慢　動作がのろいこと

陥没　落ちくぼむ

召喚　人を呼び出す

厳寒　厳しい寒さ

還元　もとの状態に戻す

約款　条約や契約の条項

還暦　数え年で六十一歳

閑静　静かなさま

一貫　ひと続きである

10

ケッカンを指摘する。

1 **イカン**の意を表する。

2 **カンゼン**と戦う。

3 地盤が**カンラク**する。

4 **トッカン**工事をする。

11

人間の生物学的**コンカン**を探る。

1 病院で**カンゴ**の実習をする。

2 **カンブ**に包帯を巻く。

3 **カンセン**道路を整備する。

4 **カンレイ**に従う。

12

平和を**キネン**する。

1 必勝を**キガン**する。

2 投票を**キケン**する。

3 開会式の**キシュ**を務める。

4 仕事が**キドウ**にのる。

欠陥　不備、不足があるもの

遺憾　残念であること

敢然　思い切って行うさま

陥落　落ちくぼむ

突貫　突き通す

根幹　最も重要なところ

看護　病人の手当てをする

患部　疾患や傷のある部分

幹線　重要な地域を結ぶ線

慣例　ならわし

祈念　神仏に祈り念じる

祈願　成就するよう願う

棄権　権利を捨てて行わない

旗手　旗を持つ人

軌道　物事が進む一定の方向

13

コンキョを明確にする。

1 活動の**キョテン**を移す。
2 **キョダク**を得る。
3 **キョシュウ**が注目される。
4 **キョセイ**を張る。

14

思い出が脳裏を**キョライ**する。

1 **テンキョ**通知を出す。
2 プロ野球チームの**ホンキョチ**を移す。
3 **キョドウ**不審な人物を目撃する。
4 標識を**テッキョ**する。

15

組織を**タイケイ**化する。

1 現場から**チュウケイ**する。
2 **イッケイ**を案ずる。
3 一族の**ケイズ**をたどる。
4 **ゼッケイ**に見とれる。

根拠 判断などの拠りどころ
拠点 活動の足場となる場所
許諾 許可を与える
去就 去ることと留まること
虚勢 空威張り

去来 去ることと来ること
転居 住居を変える
本拠地 本拠とする場所
挙動 人の立ち居振舞い
撤去 建物などを取り去る

体系 秩序づけられた全体
中継 「中継放送」の略
一計 一つのはかりごと
系図 由来
絶景 素晴らしい景色

16

コウジョウ的に不安がよぎる。

1 地域の夏祭りが**コウレイ**となる。
2 科学の進歩に**コウケン**する。
3 地域**シンコウ**会に参加する。
4 病気が**ショウコウ**を保つ。

17

ノウコウな関係を築く。

1 **コウダイ**な海を臨む。
2 **コウケツ**な人格の持ち主。
3 **オンコウ**な人柄に触れる。
4 地域医療に**コウケン**する。

18

公園の**ショクサイ**を変更する。

1 石炭を**サイクツ**する。
2 柔らかな**シキサイ**を基調とする。
3 観葉植物を**サイバイ**する。
4 **テイサイ**を整える。

恒常　いつも一定であること
恒例　決まりにより行われる
貢献　力を尽くしてよくする
振興　物事を盛んにする
小康　病状が落ち着いている

濃厚　濃いさま
広大　広く大きいさま
高潔　心が気高く清らか
温厚　穏やかで温かみのある
貢献　力を尽くしてよくする

植栽　植えこみ
採掘　掘り出すこと
色彩　色どり
栽培　植物を植え育てる
体裁　外から見た様子

19

夢と現実とが**コウサク**する。

1 **サクネン**の反省を生かす。
2 **サクイ**のあとが見える。
3 インターネットで**ケンサク**する。
4 試行**サクゴ**を繰り返す。

20

二つの言い回しは**キンジ**している。

1 賞味期限を**ヒョウジ**する。
2 会社に**ジヒョウ**を提出する。
3 **シュジイ**に相談する。
4 二つの図形は**ソウジ**の関係にある。

21

ジジャクたる姿勢を保つ。

1 **ジャクシャ**の苦しみを癒す。
2 森は**セイジャク**に包まれている。
3 **クジャク**の羽に魅了される。
4 **ジャクネン**者に経験を積ませる。

交錯　入り混じること
昨年　去年
作為　人の手を加えること
検索　必要なことを探す
錯誤　まちがい

近似　非常に似ていること
表示　表し示す
辞表　辞職願
主治医　かかりつけの医者
相似　よく似ていること

自若　落ち着いているさま
弱者　弱い者
静寂　静かなこと
孔雀　キジ目キジ科の鳥
若年　年が若いこと

22

新政権が**ジュリツ**される。

1 **カジュ**園を経営する。
2 **ジュカ**の思想を学ぶ。
3 **ジュサン**によって困窮を防ぐ。
4 **ジュヨウ**と供給のバランスを保つ。

23

敵地を**シュウゲキ**する。

1 証拠を**オウシュウ**する。
2 前例を**トウシュウ**する。
3 意見を**シュウヤク**する。
4 戦争を**シュウケツ**させる。

24

法令に**ジュンキョ**する。

1 **ジュンタク**な資金を供給する。
2 **ジュンリョウ**な品質を維持する。
3 **ヒョウジュン**的な見解を示す。
4 **ジュウジュン**な性格だ。

樹立	新しく作り上げる
果樹	果実のなる樹木
儒家	儒教
授産	仕事を与え助ける
需要	必要として求めること
襲撃	不意をついて攻撃する
押収	証拠物などを確保する
踏襲	そのまま受け継ぐ
集約	集めて一つにする
終結	収まりがつく
準拠	拠りどころとして従う
潤沢	物が豊富にあること
純良	混じり気がなく質がよい
標準	普通であること
従順	逆らわずおとなしい

25

過度に**ジョウチョウ**な文章だ。

1 **ジョウブ**な体を作る。
2 **ジョウダン**を言って笑わせる。
3 自意識**カジョウ**になる。
4 大幅に**ジョウホ**する。

26

先人の作品に**ショクハツ**される。

1 将来を**ショクボウ**される。
2 **ショクセキ**を果たす。
3 思わず**ショクシ**が動く。
4 **ショクバイ**の技術を大成させる。

27

シンヨウジュを観賞する。

1 **シンセイ**書を提出する。
2 **シンショウ**棒大に表現する。
3 **シンサン**をなめる。
4 **シンラ**万象を解き明かす。

冗長　くどくどと長いこと
丈夫　元気なさま
冗談　ふざけて言う言葉
過剰　程度を超えていること
譲歩　主張を曲げて合わせる

触発　刺激を受けて始める
嘱望　人に望みをかける
職責　職務上の責任
食指　（一文で）興味がわく
触媒　仲立ちとなる物質

針葉樹　針のような葉を持つ樹木
申請　申し立て
針小　誇張して言うこと
辛酸　辛い思い
森羅　数多く連なるもの

28 **リフジン**な要求を嘆く。

1 **ジンソク**に行動する。
2 復興に**ジンリョク**する。
3 **ジンリン**に反する。
4 社長が**タイジン**する。

29 世界を**セイフク**する。

1 時間を**ギセイ**にする。
2 日程を**チョウセイ**する。
3 **イッセイ**に開花する。
4 海外**エンセイ**を中止する。

30 気温の変化で**センド**を失う。

1 海中深く**センコウ**する。
2 事業の**ドクセン**を禁止する。
3 **セイセン**食品を買う。
4 **ジッセン**を伴う授業を展開する。

理不尽　道理に合わないこと
迅速　素早いこと
尽力　力を尽くす
人倫　人と人との道徳的秩序
退陣　ある地位から退く
征服　征伐して屈服させる
犠牲　大切なものを捧げる
調整　整えること
一斉　同時にそろっている
遠征　遠くまで出かける
鮮度　新鮮さの度合い
潜行　水に潜って行く
独占　独り占めにする
生鮮　食物が新鮮なこと
実践　実際に行う

31 悪の**ヨウソ**を含む。

1 **ソゼイ**を課す。
2 彼は**ソボク**な青年だ。
3 人間関係が**ソエン**になる。
4 **ソショウ**を起こす。

32 実験のために**ソウチ**を開発する。

1 官庁に**ソウサ**が入る。
2 **ソウドウ**に巻き込まれる。
3 過度な**ソウショク**品は控える。
4 **コウソウ**ビルが立ち並ぶ。

33 社会貢献を**ソクシン**する。

1 **ソクオン**は「っ」で表す。
2 定点**カンソク**を行う。
3 電車が**ソクド**を上げる。
4 **ヤクソク**を固く守る。

要素　成り立たせているもの
租税　税金
素朴　素直で飾り気がない
疎遠　交際が途絶えがち
訴訟　裁判を起こす
装置　設備や機械など
捜査　捜し調べる
騒動　事件が起こりざわめく
装飾　美しく飾る
高層　層が重なって高いこと
促進　速く進むように促す
促音　つまる音
観測　現象の変化を観察する
速度　物の進む速さ
約束　取り決め

34
子宮内で**タイジ**が育つ。
1 新時代の**タイドウ**を感じる。
2 国家の**アンタイ**を願う。
3 **チンタイ**住宅に住む。
4 犯人を**タイホ**する。

35
日記を**セイチ**に読み解く。
1 互いの好みを**チシツ**する。
2 **チセツ**な政策を非難する。
3 意見の**ガッチ**をみる。
4 彼の文章はとても**コウチ**だ。

36
チョチクを増やす。
1 骨董屋で**チクオンキ**を購入する。
2 **チクサン**農家の経営が安定する。
3 状況を**チクジ**報告する。
4 論理を**コウチク**する。

胎児　母体内で発育中の子
胎動　(比ゆ的に)芽生え
安泰　穏やかで無事なこと
賃貸　金を取って物を貸す
逮捕　拘束、拘留する

精緻　精密、緻密
知悉　知り尽くす
稚拙　幼稚で未熟なこと
合致　ぴったり合う
巧緻　巧みで細かなこと

貯蓄　金を蓄える
蓄音機　音を再生する装置
畜産　家畜で物資を得る産業
逐次　順を追って次々に
構築　組み立てて築く

37 現代の**シチョウ**を探る。

1 職人の技を**チンチョウ**する。
2 道路を**カクチョウ**する。
3 悪い**フウチョウ**が広がる。
4 裁判を**ボウチョウ**する。

38 新たな課題に**チョウセン**する。

1 **チョウカイ**免職となる。
2 敵を**チョウハツ**する。
3 新薬を**チョウゴウ**する。
4 地震の**ゼンチョウ**を捉える。

39 問題を**テイキ**する。

1 論理の**ゼンテイ**とする。
2 条約を**テイケツ**する。
3 誤字を**テイセイ**する。
4 強固な**テイボウ**を築く。

思潮 時代の思想の主な流れ
珍重 大切にする
拡張 大きくする
風潮 世間の傾向
傍聴 話をそばで聞く

挑戦 戦いを挑む
懲戒 懲らしめ戒める
挑発 刺激してたきつける
調合 混ぜ合わせる
前兆 前触れ

提起 持ち出す
前提 成り立つための条件
締結 条約などを結ぶ
訂正 まちがいを直す
堤防 水を防ぐための構築物

40 激論が**テンカイ**される。

1 事態が**コウテン**する。
2 **シキテン**に参加する。
3 資料を**テンプ**する。
4 受賞作品を**テンジ**する。

41 **トウテツ**した論理に裏付けられる。

1 **ミトウ**の分野に着手する。
2 **ヒットウ**株主となる。
3 機能を多角的に**トウキュウ**する。
4 成分が皮膚に**シントウ**する。

42 **トウゴウ**的に説明する。

1 **キントウ**に割り当てる。
2 よい**ケットウ**の犬を飼う。
3 **トトウ**を組んで抵抗する。
4 恩師の**クントウ**を受ける。

展開　繰り広げる
好転　よいほうに変化する
式典　儀式
添付　書類などに添える
展示　作品を並べて見せる

透徹　筋道が通っているさま
未踏　誰も踏み入れていない
筆頭　一番の位置にあるもの
討究　深く研究する
浸透　染み通る

統合　まとめ合わせる
均等　差がなく等しいこと
血統　血の繋がり
徒党　悪だくみの集まり
薫陶　感化し、よいほうに導く

43

二酸化炭素が**ハイシュツ**される。

1 優秀な人材が**ハイシュツ**する。
2 少数意見を**ハイセキ**する。
3 政治の**フハイ**を指摘する。
4 **ハイシン**行為の責任を問う。

44

茶道を**バイカイ**として礼儀を学ぶ。

1 野菜を**サイバイ**する。
2 **バイショウ**責任を求める。
3 実験に**ショクバイ**を用いる。
4 **バイシン**員に選ばれる。

45

医療の進歩に**ハクシャ**がかかる。

1 **ハクシン**の演技に魅了される。
2 **ハクジョウ**な言動を後悔する。
3 会場内から**ハクシュ**がわきおこる。
4 悪事を**ハクジョウ**する。

排出 外へ出す
輩出 才能ある人が世に出る
排斥 拒み退ける
腐敗 堕落する
背信 裏切り

媒介 仲立ちをする
栽培 植物を植え育てる
賠償 損害を償う
触媒 仲立ちする物質
陪審 一般人が裁判に参与する

拍車 物事の進行を早める
迫真 真に迫っていること
薄情 愛情が薄いこと
拍手 手を打って音をたてる
白状 罪や秘密を話す

46

心臓が**ヒダイ**する。

1 畑に**ヒリョウ**をまく。
2 安全な場所に**ヒナン**する。
3 技を**ヒロウ**する。
4 自分を**ヒゲ**する。

47

大半が**キョヒ**し、実現しない。

1 自らの**ヒレイ**を詫びる。
2 計画案の**サイヒ**を決める。
3 現実**トウヒ**を続ける。
4 **ヒクツ**な態度をとる。

48

作品に残された署名は**ジフ**の証だ。

1 **フユウ**な環境で育つ。
2 **キョウフ**におののく。
3 交通費を**フタン**する。
4 インターネットが**フキュウ**する。

肥大	太って大きくなる
肥料	土壌の養分となるもの
避難	災難を避けて立ち退く
披露	人々に発表する
卑下	へりくだる
拒否	拒み断ること
非礼	礼儀にはずれること
採否	採用と不採用
逃避	困難を避け、逃れる
卑屈	自分を卑しめること
自負	才能に自信を持つ
富裕	財産が多くあるさま
恐怖	恐れる
負担	引き受ける
普及	広く行き渡る

49 暴力は**ホウフク**の連鎖を招く。

1 **シフク**の時を過ごす。
2 伝達事項を**フクショウ**する。
3 **フクガン**的に物事を見る。
4 **フクスイ**盆に返らず。

50 人間は**フヘン**的な能力を持つ。

1 大器の**ヘンリン**をうかがわせる。
2 地球の気候が**ヘンドウ**する。
3 **フヘン**の立場をとる。
4 世界中に通信網が**ヘンザイ**する。

51 **スンポウ**を測り記録する。

1 旧説を**シンポウ**する。
2 国会の**リッポウ**機能を強化する。
3 **キッポウ**を待ち続ける。
4 **エンポウ**から駆けつける。

報復 仕返しをする
至福 この上ない幸福
復唱 命令を繰り返して言う
複眼 多様な立場から見る
覆水 （一文で）もとには戻らない

普遍 すべてに共通している
片鱗 一部分
変動 物事が変わる
不偏 偏らない
遍在 広く存在する

寸法 物の長さ
信奉 特定の思想に従う
立法 法律を定める
吉報 めでたい知らせ
遠方 遠いところ

52

ムボウな挑戦を繰り返す。

1 事の成り行きを**ボウカン**する。
2 流行性**カンボウ**を予防する。
3 **ボウリャク**をめぐらす。
4 **タボウ**な生活を送る。

53

ジマンするほどのことではない。

1 注意力が**サンマン**になる。
2 得意**マンメン**に話す。
3 **マンセイ**疾患を抱える。
4 **マンネンヒツ**を購入する。

54

敵が**モウゼン**と追いかけてくる。

1 辺り一帯が**モウカ**に包まれる。
2 すべての条件を**モウラ**する。
3 **モウソウ**にふける。
4 体力の**ショウモウ**が激しい。

無謀	深く考えないさま
傍観	何もせず見ている
感冒	風邪
謀略	はかりごと
多忙	非常に忙しいこと
自慢	自分のことを誇る
散漫	まとまりのないさま
満面	顔全体
慢性	治らない状態が続く
万年筆	携帯用のペン
猛然	勢いが激しいさま
猛火	激しく燃え立つ火
網羅	漏らすことなく集める
妄想	根拠のない想像
消耗	使ってなくなる

55

ユニュウ品を販売する。

1 物見**ユサン**に出かける。
2 **ユシ**解雇を告げる。
3 政界と財界の**ユチャク**を暴く。
4 **ユエキ**剤を点滴する。

56

古い設備が事故を**ユウハツ**する。

1 資金を**ユウズウ**する。
2 **ユウシュウ**の美を飾る。
3 **ユウベン**を奮う。
4 オリンピックを**ユウチ**する。

57

身を挺して**ヨウゴ**する。

1 このウナギは**ヨウショク**だ。
2 候補を**ヨウリツ**する。
3 失敗を**ヨウニン**する。
4 内心の**ドウヨウ**を隠す。

輸入 外国からの買い入れ
遊山 遊びに出かける
諭旨 理由を諭し告げる
癒着 深く結びついている
輸液 栄養などが入っている液

誘発 誘い起こす
融通 臨機応変に処理する
有終 終わりを全うする
雄弁 巧みで力強い弁舌
誘致 誘い寄せる

擁護 かばって守る
養殖 人工的に育てる
擁立 擁護し位に就かせる
容認 認めて許す
動揺 不安定な気持ち

58 意識の**コウヨウ**を図る。

1 **ヨクヨウ**をつけて朗読する。
2 **ジンヨウ**を整える。
3 **チュウヨウ**を守ることが肝要だ。
4 政権は末期の**ヨウソウ**を呈している。

59 関係には優遇と**レイグウ**がつきまとう。

1 奉仕活動を**ショウレイ**する。
2 過熱した機械を**レイキャク**する。
3 容姿**タンレイ**な若者が佇む。
4 **ジツレイ**を挙げて説明する。

60 故郷への**ミレン**は一切ない。

1 彼は**セイレン**潔白な人間だ。
2 **レンボ**の情を断ち切る。
3 **ジュクレン**の技を披露する。
4 本部に**レンラク**をとる。

高揚　気分の高まり
抑揚　調子の上げ下げ
陣容　集団を構成する顔ぶれ
中庸　偏らず変わらない
様相　ありさま・状態

冷遇　冷淡なあしらい
奨励　勧め励ます
冷却　冷やす
端麗　姿形が整っている
実例　実際にあった例

未練　心残りのあること
清廉　清くて私欲のない心
恋慕　恋い慕う
熟練　慣れていて上手なさま
連絡　情報を知らせる

1 阿《あ》鼻《び》叫《きょう》喚《かん》

はなはだしく悲惨な状況。

2 暗《あん》中《ちゅう》模《も》索《さく》

手がかりがないことを探し求めること。

3 唯《い》唯《い》諾《だく》諾《だく》

他人の意見に、やみくもに従うこと。

4 一《いち》衣《い》帯《たい》水《すい》

ひとすじのおびのような狭い川や海。

5 一《いち》望《ぼう》千《せん》里《り》

広々としていて、はるか遠くまで見渡すことができること。

6 一《いち》目《もく》瞭《りょう》然《ぜん》

ひとめ見てよく分かること。

7 一《いち》蓮《れん》托《たく》生《しょう》

最後まで行動や運命をともにすること。

8 一《いっ》視《し》同《どう》仁《じん》

すべての人を平等に扱い、仁愛を施すこと。

9 一《いっ》触《しょく》即《そく》発《はつ》

非常に危険な状態。

10 一《いっ》知《ち》半《はん》解《かい》

ちしきが十分でないこと。

11

一《いっ》刀《とう》両《りょう》断《だん》

速やかに決断して処置をすること。

12

隠《いん》忍《にん》自《じ》重《ちょう》

軽はずみな行動をせず、じっと我慢し続けること。

13

右《う》顧《こ》左《さ》眄《べん》

周囲の様子を気にしてばかりで、決断できないこと。

14

有《う》象《ぞう》無《む》象《ぞう》

たくさん集まった価値のないものやつまらない人々。

15

鎧《がい》袖《しゅう》一《いっ》触《しょく》

簡単に相手を倒すこと。

16

格《かく》物《ぶつ》致《ち》知《ち》

物事の道理を究めて、ちしきを高めること。

17

臥《が》薪《しん》嘗《しょう》胆《たん》

目的を達するために苦労し、努力を重ねること。

18

画《が》竜《りょう》点《てん》睛《せい》

最後にあるものを付け加えて仕上げること。

19

苛《か》斂《れん》誅《ちゅう》求《きゅう》

租税などを厳しく取り立てること。

20

夏《か》炉《ろ》冬《とう》扇《せん》

季節はずれで役に立たないもの。

1

侃《かん》侃《かん》諤《がく》諤《がく》

強く主張して考えを曲げないこと。

2

汗《かん》牛《ぎゅう》充《じゅう》棟《とう》

蔵書の数がとても多いこと。

3

艱《かん》難《なん》辛《しん》苦《く》

困難に合い、つらくくるしい思いをすること。

4

気《き》宇《う》壮《そう》大《だい》

心がとても広いこと。

5

危《き》機《き》一《いっ》髪《ぱつ》

ごくわずかなところまで、危険が迫っていること。

6

奇《き》奇《き》怪《かい》怪《かい》

たいそうあやしく不思議なさま。

7

奇《き》想《そう》天《てん》外《がい》

思いもよらないきばつなさま。

8

行《ぎょう》住《じゅう》坐《ざ》臥《が》

日常。

9

虚《きょ》虚《きょ》実《じつ》実《じつ》

計略や秘術のすべてを出し尽くして戦うこと。

10

曲《きょく》学《がく》阿《あ》世《せい》

真理をまげたがくもんをもって、権力者や世俗にへつらうこと。

11

虚《きょ》心《しん》坦《たん》懐《かい》

こころに何のわだかまりもなく平静なこと。

12

軽《けい》挙《きょ》妄《もう》動《どう》

熟慮せずに行動すること。

13

鶏《けい》口《こう》牛《ぎゅう》後《ご》

どんなに小さな集団でも、その頂点を目指すべきだという教え。

14

経《けい》世《せい》済《さい》民《みん》

世の中を治め、人々を苦しみから救い出すこと。

15

軽《けい》佻《ちょう》浮《ふ》薄《はく》

かるはずみなさま。

16

牽《けん》強《きょう》付《ふ》会《かい》

自分に都合のいいように理屈をこじつけること。

17

乾《けん》坤《こん》一《いっ》擲《てき》

運命をかけて大勝負をすること。

18

捲《けん》土《ど》重《ちょう》来《らい》

一度失敗したものが、勢いを盛り返してくること。

19

厚《こう》顔《がん》無《む》恥《ち》

他人に対する態度があつかましく、恥知らずなこと。

20

豪《ごう》放《ほう》磊《らい》落《らく》

細かいことにこだわらず、朗らかなさま。

1

刻《こっ》苦《く》勉《べん》励《れい》

大変なくろうをして学問に励むこと。

2

孤《こ》立《りつ》無《む》援《えん》

独りきりとなり、どこからも助けてもらえないこと。

3

渾《こん》然《ぜん》一《いっ》体《たい》

すっかりとけあって、区別がないさま。

4

三《さん》寒《かん》四《し》温《おん》

寒い日と暖かい日が交互に続き、次第に暖かくなること。

5

自《じ》家《か》撞《どう》着《ちゃく》

同じ人の言動が前後で食い違い、つじつまが合わないこと。

6

四《し》苦《く》八《はっ》苦《く》

たいそう悩み苦労すること。

7

試《し》行《こう》錯《さく》誤《ご》

いろいろためして失敗を繰り返しながら、成功にたどりつくこと。

8

獅《し》子《し》奮《ふん》迅《じん》

勢い激しくふんとうするさま。

9

質《しつ》実《じつ》剛《ごう》健《けん》

飾り気がなく真面目で、強くたくましいこと。

10

杓《しゃく》子《し》定《じょう》規《ぎ》

形式にとらわれて融通のきかないこと。

11 衆《しゅう》人《じん》環《かん》視《し》

大勢の人が四方を取り囲んで見ていること。

12 秋《しゅう》霜《そう》烈《れつ》日《じつ》

権威や刑罰などが厳粛であること。

13 主《しゅ》客《かく》転《てん》倒《とう》

物事の大小や軽重を取り違えること。

14 笑《しょう》止《し》千《せん》万《ばん》

たいそうくだらないこと。

15 諸《しょ》行《ぎょう》無《む》常《じょう》

すべてのものは絶えず変化し、とどまることのないこと。

16 支《し》離《り》滅《めつ》裂《れつ》

まとまりがなく、筋道が立っていないこと。

17 深《しん》山《ざん》幽《ゆう》谷《こく》

人里から離れた奥ふかく静かな山や谷。

18 信《しん》賞《しょう》必《ひつ》罰《ばつ》

しょうばつを厳格に行うこと。

19 新《しん》進《しん》気《き》鋭《えい》

あらたに進み出て、勢いがするどいこと。

20 森《しん》羅《ら》万《ばん》象《しょう》

宇宙の中のあらゆる物事。

1

酔《すい》生《せい》夢《む》死《し》

有意義なことを何もせず、無駄に一生を終えること。

2

生《せい》殺《さつ》与《よ》奪《だつ》

相手のすべてを思いのままにすること。

3

清《せい》廉《れん》潔《けっ》白《ぱく》

心がきよく、私利私欲がないこと。

4

切《せっ》磋《さ》琢《たく》磨《ま》

仲間同士が互いに励ましあって、その資質を向上させること。

5

切《せっ》歯《し》扼《やく》腕《わん》

たいそう悔しがること。

6

千《せん》差《さ》万《ばん》別《べつ》

種々様々に変わっていること。

7

前《ぜん》人《じん》未《み》踏《とう》

まだ誰もやっていないこと。

8

千《せん》篇《ぺん》一《いち》律《りつ》

物事が同じで変化がなく、おもしろみがないこと。

9

率《そっ》先《せん》垂《すい》範《はん》

率先して手本を示すこと。

10

泰《たい》然《ぜん》自《じ》若《じゃく》

ゆったりと落ち着いていて、動じないさま。

11

大《だい》胆《たん》不《ふ》敵《てき》

度胸がよくて何も恐れないこと。

12

大《だい》同《どう》小《しょう》異《い》

一部分は違うが、ほとんどおなじであること。

13

多《た》岐《き》亡《ぼう》羊《よう》

方針が多すぎて、どれを選ぶか迷ってしまうこと。

14

暖《だん》衣《い》飽《ほう》食《しょく》

なにも不自由のない生活をすること。

15

魑《ち》魅《み》魍《もう》魎《りょう》

山や川などにいる様々な怪物。

16

朝《ちょう》三《さん》暮《ぼ》四《し》

目先の差異にとらわれること。

17

朝《ちょう》令《れい》暮《ぼ》改《かい》

命令が頻繁に改められ、あてにならないこと。

18

猪《ちょ》突《とつ》猛《もう》進《しん》

向こう見ずに、勢いよく突進すること。

19

沈《ちん》思《し》黙《もっ》考《こう》

だまってじっくり考えること。

20

天《てん》衣《い》無《む》縫《ほう》

詩文などが完全で美しいこと。転じて、純粋で無邪気なさま。

1

博《はく》覧《らん》強《きょう》記《き》

書物を広く見て、物事をよく覚えていること。

2

波《は》瀾《らん》万《ばん》丈《じょう》

変化が激しいさま。

3

罵《ば》詈《り》雑《ぞう》言《ごん》

口ぎたなく相手をののしることば。

4

万《ばん》古《こ》不《ふ》易《えき》

いつまでも変わらないこと。

5

百《ひゃっ》家《か》争《そう》鳴《めい》

多くの学者が自由に意見を発表し、論争すること。

6

百《ひゃっ》花《か》繚《りょう》乱《らん》

優れた人物や業績が一度に現れること。

7

百《ひゃっ》《ひゃっ》鬼《き》《き》夜《や》《や》行《こう》《ぎょう》

多くの人が常識では考えられないような行動をとること。

8

武《ぶ》運《うん》長《ちょう》久《きゅう》

武運がながく続くこと。

9

不《ふ》易《えき》流《りゅう》行《こう》

新しいことを追求していくと、本質に通じるということ。

10

不《ふ》即《そく》不《ふ》離《り》

つかずはなれずの状態でいること。

11

不《ふ》撓《とう》不《ふ》屈《くつ》

どんな困難にあってもひるまないこと。

12

不《ふ》偏《へん》不《ふ》党《とう》

何にも属せず、中立な立場をとること。

13

平《へい》身《しん》低《てい》頭《とう》

頭をひくく下げてひれ伏し、恐れいること。

14

抱《ほう》腹《ふく》絶《ぜっ》倒《とう》

腹を抱えてひっくり返るほど大笑いすること。

15

無《む》味《み》乾《かん》燥《そう》

全く面白みがないこと。

16

融《ゆう》通《ずう》無《む》碍《げ》

一定の考えにとらわれず、どんな事態にも対応できること。

17

有《ゆう》名《めい》無《む》実《じつ》

評判ばかりで実力が伴わないこと。

18

羊《よう》頭《とう》狗《く》肉《にく》

見かけは立派だが、実質が伴わないこと。

19

和《わ》光《こう》同《どう》塵《じん》

能力を隠し、俗世間の人々の中に同化して交わること。

20

和《わ》魂《こん》洋《よう》才《さい》

日本固有の精神をもって欧米の学問を学び取ること。

□	不慮	ふりょ	79
□	分割	ぶんかつ	88
□	紛糾	ふんきゅう	67
□	平生	へいぜい	76
□	偏在	へんざい	67
□	帽子	ぼうし	88
□	葬る	ほうむる	65
□	木刀	ぼくとう	88
□	反故	ほご	65
□	勃発	ぼっぱつ	65
□	真面目	まじめ	69
□	抹消	まっしょう	71
□	全う	まっとう	69
□	惑う	まどう	76
□	稀	まれ	71
□	満面	まんめん	88
□	眉間	みけん	88
□	妙薬	みょうやく	88
□	迎える	むかえる	77
□	無垢	むく	65
□	報いる	むくいる	69
□	無頓着	むとんちゃく	71
□	虚しい	むなしい	88
□	明晰	めいせき	77
□	免疫	めんえき	65

□	猛然	もうぜん	88
□	朦朧	もうろう	88
□	弄ぶ	もてあそぶ	66
□	催す	もよおす	66
□	和らぐ	やわらぐ	89
□	唯一	ゆいいつ	69
□	由緒	ゆいしょ	66
□	遊説	ゆうぜい	89
□	所以	ゆえん	66
□	歪む	ゆがむ	67
□	遊山	ゆさん	89
□	由来	ゆらい	60
□	養蚕	ようさん	89
□	寄席	よせ	89
□	拠る	よる	71
□	来賓	らいひん	89
□	離脱	りだつ	77
□	流暢	りゅうちょう	77
□	累計	るいけい	69
□	瑠璃	るり	89
□	隷属	れいぞく	66
□	老翁	ろうおう	89
□	狼狽	ろうばい	89
□	歪曲	わいきょく	77
□	湧く	わく	89

＊この「チェックテスト」は、214ページから始まります。

☐ 度外視	どがいし	86		☐ 彼岸	ひがん	76
☐ 咎める	とがめる	76		☐ 美醜	びしゅう	87
☐ 匿名	とくめい	64		☐ 密か	ひそか	69
☐ 途絶える	とだえる	68		☐ 潜む	ひそむ	65
☐ 滞る	とどこおる	76		☐ 浸る	ひたる	66
☐ 虜	とりこ	86		☐ 畢竟	ひっきょう	65
☐ 奴隷	どれい	79		☐ 逼迫	ひっぱく	65
☐ 名残	なごり	71		☐ 単衣	ひとえ	87
☐ 睨む	にらむ	86		☐ 罷免	ひめん	79
☐ 捏造	ねつぞう	64		☐ 翻す	ひるがえす	67
☐ 覗く	のぞく	69		☐ 瓶	びん	87
☐ 罵る	ののしる	71		☐ 分厚い	ぶあつい	87
☐ 育む	はぐくむ	64		☐ 風刺	ふうし	76
☐ 拍車	はくしゃ	64		☐ 風聞	ふうぶん	87
☐ 刷毛	はけ	86		☐ 敷衍	ふえん	65
☐ 励む	はげむ	69		☐ 福音	ふくいん	87
☐ 外す	はずす	71		☐ 伏線	ふくせん	79
☐ 破綻	はたん	64		☐ 塞ぐ	ふさぐ	87
☐ 溌剌	はつらつ	76		☐ 風情	ふぜい	65
☐ 万感	ばんかん	86		☐ 敷設	ふせつ	71
☐ 繁盛	はんじょう	87		☐ 縁	ふち	87
☐ 反芻	はんすう	64		☐ 吹雪	ふぶき	88
☐ 範疇	はんちゅう	64		☐ 訃報	ふほう	71
☐ 氾濫	はんらん	76		☐ 踏む	ふむ	76
☐ 贔屓	ひいき	87		☐ 舞踊	ぶよう	76

□	辛辣	しんらつ	63
□	据える	すえる	70
□	棲む	すむ	70
□	刷る	する	84
□	素性	すじょう	74
□	廃れる	すたれる	85
□	精緻	せいち	63
□	脊椎	せきつい	85
□	寂寥	せきりょう	63
□	施錠	せじょう	79
□	是正	ぜせい	68
□	切実	せつじつ	66
□	刹那	せつな	63
□	狭める	せばめる	85
□	是非	ぜひ	74
□	戦慄	せんりつ	63
□	騒騒しい	そうぞうしい	85
□	草履	ぞうり	75
□	即応	そくおう	75
□	齟齬	そご	75
□	素行	そこう	85
□	即効	そっこう	68
□	素描	そびょう	85
□	算盤	そろばん	71
□	待遇	たいぐう	66

□	大抵	たいてい	79
□	耕す	たがやす	85
□	卓抜	たくばつ	79
□	蛇行	だこう	85
□	讃える	たたえる	85
□	辿る	たどる	64
□	賜物	たまもの	85
□	堪能	たんのう	75
□	知悉	ちしつ	64
□	血眼	ちまなこ	68
□	治癒	ちゆ	79
□	鳥瞰図	ちょうかんず	75
□	長兄	ちょうけい	86
□	澄明	ちょうめい	64
□	跳梁	ちょうりょう	75
□	治療	ちりょう	75
□	追悼	ついとう	75
□	追認	ついにん	86
□	都度	つど	68
□	繋がる	つながる	86
□	募る	つのる	68
□	詳らか	つまびらか	75
□	丁重	ていちょう	75
□	吐息	といき	86
□	尊ぶ	とうと(たっと)ぶ	86

☐	軽侮	けいぶ	83	☐ 雑駁	ざっぱく	74
☐	啓蒙	けいもう	62	☐ 妨げる	さまたげる	74
☐	戯作	げさく	62	☐ 懺悔	ざんげ	62
☐	化身	けしん	83	☐ 斬新	ざんしん	70
☐	獣	けもの	83	☐ 強いる	しいる	74
☐	減殺	げんさい	83	☐ 直筆	じきひつ	84
☐	絢爛	けんらん	62	☐ 鎮める	しずめる	62
☐	豪華	ごうか	83	☐ 市井	しせい	62
☐	興行	こうぎょう	83	☐ 次第	しだい	84
☐	高尚	こうしょう	83	☐ 躾	しつけ	79
☐	巧拙	こうせつ	62	☐ 失言	しつげん	84
☐	傲慢	ごうまん	62	☐ 執拗	しつよう	63
☐	石高	こくだか	78	☐ 終焉	しゅうえん	63
☐	快い	こころよい	83	☐ 執念	しゅうねん	74
☐	梢	こずえ	70	☐ 蹂躙	じゅうりん	63
☐	小競り合い	こぜりあい	78	☐ 収斂	しゅうれん	74
☐	声高	こわだか	78	☐ 呪術	じゅじゅつ	70
☐	権化	ごんげ	78	☐ 衆生	しゅじょう	74
☐	今生	こんじょう	79	☐ 遵守	じゅんしゅ	74
☐	混沌	こんとん	73	☐ 小康	しょうこう	84
☐	細工	さいく	84	☐ 饒舌	じょうぜつ	63
☐	最期	さいご	84	☐ 尚早	しょうそう	84
☐	催涙	さいるい	84	☐ 所作	しょさ	63
☐	些細	ささい	62	☐ 如才	じょさい	84
☐	颯爽	さっそう	74	☐ 審議	しんぎ	69

□	貶める	おとしめる	77
□	自ずから	おのずから	81
□	夥しい	おびただしい	61
□	諧謔	かいぎゃく	72
□	解釈	かいしゃく	81
□	快諾	かいだく	82
□	垣間見る	かいまみる	82
□	皆目	かいもく	67
□	乖離	かいり	61
□	省みる	かえりみる	72
□	家屋	かおく	78
□	抱える	かかえる	66
□	掲げる	かかげる	82
□	格納	かくのう	82
□	河岸	かし	82
□	加勢	かせい	68
□	頑な	かたくな	70
□	傍ら	かたわら	61
□	適う	かなう	72
□	奏でる	かなでる	73
□	要	かなめ	82
□	醸す	かもす	73
□	伽藍	がらん	73
□	為替	かわせ	70
□	含羞	がんしゅう	73
□	陥穽	かんせい	61
□	感応	かんのう	78
□	感涙	かんるい	73
□	幾何学	きかがく	68
□	刻む	きざむ	73
□	擬似	ぎじ	73
□	起床	きしょう	68
□	帰趨	きすう	61
□	几帳面	きちょうめん	78
□	吉兆	きっちょう	82
□	祈祷	きとう	82
□	踵	きびす（かかと）	78
□	欺瞞	ぎまん	61
□	及第	きゅうだい	78
□	狭隘	きょうあい	73
□	胸襟	きょうきん	68
□	強靭	きょうじん	82
□	形相	ぎょうそう	82
□	禁忌	きんき	73
□	孔雀	くじゃく	83
□	曲者	くせもの	83
□	口伝	くでん	78
□	供養	くよう	66
□	敬虔	けいけん	61
□	迎合	げいごう	62

☐	哀悼	あいとう	77	☐ 一抹	いちまつ	60
☐	煽る	あおる	72	☐ 銀杏	いちょう	72
☐	挙句	あげく	80	☐ 一対	いっつい	80
☐	欺く	あざむく	60	☐ 忌む	いむ	80
☐	鮮やか	あざやか	72	☐ 所謂	いわゆる	60
☐	焦る	あせる	80	☐ 慇懃	いんぎん	72
☐	軋轢	あつれき	60	☐ 隠蔽	いんぺい	61
☐	溢れる	あふれる	67	☐ 有頂天	うちょうてん	80
☐	網	あみ	67	☐ 鬱蒼	うっそう	72
☐	操る	あやつる	60	☐ 虚ろ	うつろ	77
☐	著す	あらわす	80	☐ 雨滴	うてき	81
☐	慌てる	あわてる	67	☐ 疎い	うとい	81
☐	安堵	あんど	60	☐ 促す	うながす	61
☐	塩梅	あんばい	70	☐ 産声	うぶごえ	81
☐	異形	いぎょう	80	☐ 羨む	うらやむ	69
☐	幾多	いくた	80	☐ 潤む	うるむ	81
☐	生垣	いけがき	80	☐ 永劫	えいごう	61
☐	威厳	いげん	72	☐ 詠嘆	えいたん	81
☐	居心地	いごこち	67	☐ 烏帽子	えぼし	77
☐	潔い	いさぎよい	60	☐ 円錐	えんすい	77
☐	位相	いそう	80	☐ 押印	おういん	67
☐	徒に	いたずらに	60	☐ 往生	おうじょう	81
☐	著しい	いちじるしい	60	☐ 横暴	おうぼう	81
☐	一途	いちず	70	☐ 大袈裟	おおげさ	72
☐	一瞥	いちべつ	70	☐ 大雑把	おおざっぱ	81

□	妨害	ぼうがい	24
□	包括	ほうかつ	24
□	忘却	ぼうきゃく	43
□	冒険	ぼうけん	57
□	報酬	ほうしゅう	24
□	膨大	ぼうだい	43
□	冒頭	ぼうとう	24
□	捕獲	ほかく	24
□	保護	ほご	57
□	発端	ほったん	43
□	没頭	ぼっとう	43
□	施す	ほどこす	43
□	誉れ	ほまれ	57
□	翻訳	ほんやく	43
□	埋没	まいぼつ	44
□	紛れる	まぎれる	44
□	摩擦	まさつ	24
□	漫然	まんぜん	24
□	脈絡	みゃくらく	25
□	魅了	みりょう	25
□	無邪気	むじゃき	44
□	矛盾	むじゅん	25
□	猛威	もうい	44
□	妄想	もうそう	57
□	目撃	もくげき	44
□	模索	もさく	25
□	模範	もはん	25
□	模倣	もほう	44
□	厄介	やっかい	25
□	躍起	やっき	25
□	雇う	やとう	44
□	遊戯	ゆうぎ	44
□	悠久	ゆうきゅう	25
□	融通	ゆうずう	44
□	余韻	よいん	44
□	要請	ようせい	25
□	抑止	よくし	45
□	抑揚	よくよう	25
□	余裕	よゆう	45
□	隆盛	りゅうせい	45
□	輪郭	りんかく	45
□	臨床	りんしょう	57
□	類似	るいじ	45
□	類推	るいすい	45
□	流布	るふ	45
□	礼儀	れいぎ	45
□	連鎖	れんさ	57
□	浪費	ろうひ	57
□	露呈	ろてい	45
□	煩わしい	わずらわしい	45

☐ 念頭	ねんとう	41		☐ 皮相	ひそう	23
☐ 濃厚	のうこう	41		☐ 匹敵	ひってき	42
☐ 濃淡	のうたん	21		☐ 皮膚	ひふ	42
☐ 濃密	のうみつ	22		☐ 微妙	びみょう	23
☐ 脳裏	のうり	22		☐ 飛躍	ひやく	42
☐ 載せる	のせる	22		☐ 漂白	ひょうはく	42
☐ 臨む	のぞむ	41		☐ 披露	ひろう	42
☐ 把握	はあく	41		☐ 疲労	ひろう	57
☐ 媒介	ばいかい	41		☐ 敏感	びんかん	23
☐ 輩出	はいしゅつ	56		☐ 頻繁	ひんぱん	42
☐ 排除	はいじょ	41		☐ 普及	ふきゅう	42
☐ 媒体	ばいたい	22		☐ 不朽	ふきゅう	57
☐ 配慮	はいりょ	22		☐ 付随	ふずい	42
☐ 暴露	ばくろ	22		☐ 不断	ふだん	42
☐ 派遣	はけん	42		☐ 復興	ふっこう	43
☐ 発揮	はっき	22		☐ 雰囲気	ふんいき	43
☐ 波紋	はもん	22		☐ 憤慨	ふんがい	23
☐ 範囲	はんい	22		☐ 紛争	ふんそう	23
☐ 磐石	ばんじゃく	56		☐ 平穏	へいおん	23
☐ 繁殖	はんしょく	22		☐ 隔てる	へだてる	23
☐ 繁茂	はんも	23		☐ 変革	へんかく	43
☐ 比較	ひかく	56		☐ 便宜	べんぎ	24
☐ 率いる	ひきいる	57		☐ 変容	へんよう	24
☐ 微細	びさい	23		☐ 萌芽	ほうが	43
☐ 悲惨	ひさん	23		☐ 崩壊	ほうかい	24

□ 丹念	たんねん	20
□ 短絡	たんらく	20
□ 鍛練	たんれん	20
□ 蓄積	ちくせき	20
□ 秩序	ちつじょ	39
□ 抽出	ちゅうしゅつ	20
□ 中枢	ちゅうすう	39
□ 兆候	ちょうこう	39
□ 彫刻	ちょうこく	39
□ 跳躍	ちょうやく	21
□ 潮流	ちょうりゅう	39
□ 貯蓄	ちょちく	55
□ 沈滞	ちんたい	39
□ 陳腐	ちんぷ	39
□ 追随	ついずい	39
□ 培う	つちかう	39
□ 摘む	つむ	55
□ 停滞	ていたい	39
□ 丁寧	ていねい	40
□ 的確	てきかく	21
□ 適合	てきごう	53
□ 撤去	てっきょ	40
□ 徹底	てってい	21
□ 転嫁	てんか	21
□ 添加	てんか	40
□ 展開	てんかい	55
□ 転換	てんかん	21
□ 転倒	てんとう	40
□ 投影	とうえい	40
□ 洞察	どうさつ	40
□ 陶酔	とうすい	40
□ 統率	とうそつ	55
□ 到達	とうたつ	21
□ 唐突	とうとつ	21
□ 逃避	とうひ	21
□ 動揺	どうよう	56
□ 同僚	どうりょう	40
□ 当惑	とうわく	56
□ 特異	とくい	40
□ 突如	とつじょ	56
□ 吐露	とろ	21
□ 徒労	とろう	56
□ 眺める	ながめる	40
□ 納得	なっとく	41
□ 慣れる	なれる	56
□ 担う	になう	41
□ 鈍い	にぶい	56
□ 如実	にょじつ	41
□ 認識	にんしき	56
□ 縫う	ぬう	41

☐ 繊維	せんい	54		☐ 措置	そち	37
☐ 旋回	せんかい	36		☐ 疎通	そつう	37
☐ 先駆	せんく	36		☐ 率先	そっせん	20
☐ 繊細	せんさい	36		☐ 率直	そっちょく	37
☐ 潜在	せんざい	36		☐ 備える	そなえる	37
☐ 前提	ぜんてい	36		☐ 供える	そなえる	55
☐ 扇動	せんどう	54		☐ 素朴	そぼく	37
☐ 鮮明	せんめい	54		☐ 背く	そむく	55
☐ 専門	せんもん	54		☐ 待機	たいき	37
☐ 鮮烈	せんれつ	54		☐ 退屈	たいくつ	55
☐ 洗練	せんれん	36		☐ 対処	たいしょ	37
☐ 憎悪	ぞうお	36		☐ 代償	だいしょう	38
☐ 総括	そうかつ	36		☐ 怠惰	たいだ	38
☐ 遭遇	そうぐう	36		☐ 台頭	たいとう	38
☐ 操作	そうさ	19		☐ 妥協	だきょう	55
☐ 掃除	そうじ	19		☐ 託す	たくす	38
☐ 喪失	そうしつ	36		☐ 巧み	たくみ	38
☐ 操縦	そうじゅう	54		☐ 蓄え	たくわえ	20
☐ 装飾	そうしょく	19		☐ 多彩	たさい	38
☐ 増殖	ぞうしょく	37		☐ 携わる	たずさわる	38
☐ 挿話	そうわ	20		☐ 堕落	だらく	55
☐ 疎遠	そえん	20		☐ 探索	たんさく	38
☐ 疎外	そがい	37		☐ 誕生	たんじょう	38
☐ 促進	そくしん	37		☐ 端正	たんせい	38
☐ 組織	そしき	55		☐ 端的	たんてき	20

□	消息	しょうそく	34
□	招待	しょうたい	52
□	情緒	じょうちょ	52
□	象徴	しょうちょう	17
□	衝動	しょうどう	52
□	衝突	しょうとつ	18
□	蒸発	じょうはつ	53
□	障壁	しょうへき	18
□	将来	しょうらい	53
□	奨励	しょうれい	34
□	触発	しょくはつ	18
□	叙述	じょじゅつ	18
□	徐徐に	じょじょに	18
□	庶民	しょみん	34
□	署名	しょめい	53
□	試練	しれん	53
□	侵害	しんがい	18
□	真剣	しんけん	53
□	深刻	しんこく	34
□	侵食	しんしょく	18
□	真相	しんそう	53
□	進展	しんてん	53
□	浸透	しんとう	18
□	侵入	しんにゅう	53
□	審判	しんぱん	18
□	振幅	しんぷく	34
□	辛抱	しんぼう	18
□	推移	すいい	19
□	遂行	すいこう	19
□	衰弱	すいじゃく	34
□	随所	ずいしょ	53
□	衰退	すいたい	19
□	出納	すいとう	54
□	崇高	すうこう	35
□	崇拝	すうはい	35
□	隅	すみ	35
□	澄む	すむ	35
□	性急	せいきゅう	35
□	制御	せいぎょ	19
□	精巧	せいこう	54
□	静寂	せいじゃく	19
□	成熟	せいじゅく	35
□	盛衰	せいすい	35
□	征服	せいふく	54
□	性癖	せいへき	35
□	摂取	せっしゅ	19
□	雪辱	せつじょく	35
□	折衷	せっちゅう	19
□	摂理	せつり	35
□	迫る	せまる	54

☐ 際限	さいげん	15		☐ 釈然	しゃくぜん	33
☐ 催促	さいそく	32		☐ 遮断	しゃだん	33
☐ 栽培	さいばい	16		☐ 若干	じゃっかん	33
☐ 削減	さくげん	32		☐ 邪魔	じゃま	52
☐ 提げる	さげる	32		☐ 収穫	しゅうかく	33
☐ 錯覚	さっかく	16		☐ 従属	じゅうぞく	52
☐ 殺到	さっとう	51		☐ 渋滞	じゅうたい	33
☐ 雑踏	ざっとう	16		☐ 執着	しゅうちゃく	17
☐ 参画	さんかく	32		☐ 柔軟	じゅうなん	17
☐ 残酷	ざんこく	51		☐ 充満	じゅうまん	33
☐ 指揮	しき	51		☐ 趣向	しゅこう	17
☐ (お)辞儀	(お)じぎ	32		☐ 主催	しゅさい	33
☐ 刺激	しげき	16		☐ 述懐	じゅっかい	34
☐ 示唆	しさ	16		☐ 授与	じゅよ	52
☐ 思索	しさく	16		☐ 樹立	じゅりつ	52
☐ 施設	しせつ	52		☐ 循環	じゅんかん	34
☐ 事態	じたい	16		☐ 紹介	しょうかい	17
☐ 嫉妬	しっと	32		☐ 障害	しょうがい	34
☐ 執筆	しっぴつ	16		☐ 衝撃	しょうげき	17
☐ 師弟	してい	52		☐ 証拠	しょうこ	52
☐ 指摘	してき	16		☐ 障子	しょうじ	17
☐ 至難	しなん	33		☐ 成就	じょうじゅ	17
☐ 縛る	しばる	16		☐ 精進	しょうじん	17
☐ 指標	しひょう	33		☐ 焦燥	しょうそう	17
☐ 自明	じめい	33		☐ 肖像	しょうぞう	34

□	傾倒	けいとう	50
□	系譜	けいふ	13
□	結構	けっこう	30
□	傑作	けっさく	30
□	欠如	けつじょ	14
□	潔癖	けっぺき	30
□	懸念	けねん	30
□	険しい	けわしい	14
□	権威	けんい	14
□	嫌悪	けんお	50
□	見解	けんかい	30
□	厳格	げんかく	50
□	謙虚	けんきょ	14
□	堅固	けんご	14
□	顕在	けんざい	14
□	厳粛	げんしゅく	31
□	検証	けんしょう	31
□	献身	けんしん	50
□	源泉	げんせん	51
□	顕著	けんちょ	14
□	厳密	げんみつ	14
□	故意	こい	31
□	好奇心	こうきしん	51
□	恒久	こうきゅう	51
□	後継	こうけい	51

□	貢献	こうけん	14
□	交錯	こうさく	31
□	更新	こうしん	14
□	拘束	こうそく	15
□	光沢	こうたく	51
□	構築	こうちく	31
□	硬直	こうちょく	15
□	興奮	こうふん	51
□	巧妙	こうみょう	15
□	高揚	こうよう	15
□	効率	こうりつ	31
□	考慮	こうりょ	31
□	枯渇	こかつ	15
□	刻印	こくいん	31
□	酷使	こくし	31
□	孤独	こどく	31
□	拒む	こばむ	51
□	鼓舞	こぶ	32
□	固有	こゆう	15
□	雇用	こよう	32
□	凝らす	こらす	15
□	孤立	こりつ	15
□	根拠	こんきょ	32
□	痕跡	こんせき	15
□	困惑	こんわく	32

□ 奇妙	きみょう	28
□ 救援	きゅうえん	49
□ 究極	きゅうきょく	11
□ 救済	きゅうさい	11
□ 究明	きゅうめい	29
□ 寄与	きよ	49
□ 驚異	きょうい	12
□ 脅威	きょうい	12
□ 境遇	きょうぐう	29
□ 恐慌	きょうこう	29
□ 仰視	ぎょうし	12
□ 享受	きょうじゅ	12
□ 郷愁	きょうしゅう	29
□ 恐縮	きょうしゅく	12
□ 矯正	きょうせい	12
□ 業績	ぎょうせき	12
□ 驚嘆	きょうたん	12
□ 仰天	ぎょうてん	12
□ 恐怖	きょうふ	49
□ 興味	きょうみ	49
□ 強要	きょうよう	49
□ 極端	きょくたん	29
□ 虚構	きょこう	29
□ 拒絶	きょぜつ	29
□ 挙動	きょどう	49
□ 拒否	きょひ	29
□ 岐路	きろ	12
□ 均衡	きんこう	13
□ 緊張	きんちょう	13
□ 吟味	ぎんみ	13
□ 偶然	ぐうぜん	13
□ 偶像	ぐうぞう	49
□ 駆使	くし	13
□ 苦渋	くじゅう	29
□ 崩れる	くずれる	50
□ 砕く	くだく	29
□ 屈辱	くつじょく	13
□ 屈折	くっせつ	50
□ 苦闘	くとう	30
□ 工面	くめん	30
□ 繰る	くる	50
□ 経緯	けいい	13
□ 契機	けいき	13
□ 傾向	けいこう	30
□ 掲載	けいさい	30
□ 傾斜	けいしゃ	50
□ 継承	けいしょう	13
□ 軽率	けいそつ	30
□ 境内	けいだい	50
□ 系統	けいとう	50

□	絡む	からむ	9
□	華麗	かれい	48
□	感慨	かんがい	28
□	喚起	かんき	9
□	環境	かんきょう	9
□	簡潔	かんけつ	9
□	還元	かんげん	9
□	換言	かんげん	9
□	甘言	かんげん	48
□	監視	かんし	9
□	甘受	かんじゅ	9
□	干渉	かんしょう	9
□	勘定	かんじょう	9
□	肝心	かんじん	10
□	歓声	かんせい	28
□	含蓄	がんちく	10
□	貫徹	かんてつ	28
□	甘美	かんび	10
□	肝要	かんよう	10
□	寛容	かんよう	10
□	管理	かんり	28
□	慣例	かんれい	28
□	還暦	かんれき	28
□	緩和	かんわ	10
□	奇異	きい	10

□	機縁	きえん	48
□	飢餓	きが	10
□	危機	きき	28
□	戯曲	ぎきょく	48
□	帰結	きけつ	48
□	起源	きげん	48
□	儀式	ぎしき	10
□	机上	きじょう	10
□	犠牲	ぎせい	28
□	奇跡	きせき	11
□	軌跡	きせき	48
□	基礎	きそ	48
□	競う	きそう	48
□	帰属	きぞく	28
□	既存	きそん	11
□	鍛える	きたえる	11
□	貴重	きちょう	48
□	奇特	きとく	49
□	希薄	きはく	11
□	規範	きはん	11
□	基盤	きばん	11
□	忌避	きひ	11
□	機微	きび	11
□	厳しい	きびしい	49
□	規模	きぼ	49

□ 伺う	うかがう	46
□ 奪う	うばう	46
□ 営為	えいい	6
□ 影響	えいきょう	26
□ 鋭利	えいり	26
□ 会釈	えしゃく	26
□ 得体	えたい	46
□ 獲物	えもの	6
□ 沿革	えんかく	6
□ 遠隔	えんかく	46
□ 円滑	えんかつ	7
□ 遠慮	えんりょ	7
□ 横行	おうこう	27
□ 往来	おうらい	27
□ 覆う	おおう	7
□ 臆病	おくびょう	7
□ 怠る	おこたる	47
□ 興る	おこる	47
□ 汚染	おせん	27
□ 襲う	おそう	7
□ 陥る	おちいる	7
□ 脅かす	おびやかす	47
□ 恩恵	おんけい	7
□ 回帰	かいき	7
□ 懐疑	かいぎ	27
□ 回顧	かいこ	7
□ 悔恨	かいこん	47
□ 介在	かいざい	7
□ 開拓	かいたく	8
□ 該当	がいとう	8
□ 介入	かいにゅう	47
□ 概念	がいねん	8
□ 介抱	かいほう	8
□ 快方	かいほう	47
□ 解剖	かいぼう	8
□ 皆無	かいむ	27
□ 覚悟	かくご	8
□ 確執	かくしつ	8
□ 隔絶	かくぜつ	27
□ 拡張	かくちょう	47
□ 獲得	かくとく	8
□ 確認	かくにん	27
□ 隔離	かくり	27
□ 過酷	かこく	47
□ 渦中	かちゅう	47
□ 画期的	かっきてき	8
□ 葛藤	かっとう	27
□ 渇望	かつぼう	8
□ 貨幣	かへい	27
□ 我慢	がまん	47

ここからは『**銀の漢字(必須編)**』のチェックテストです。（『**銀の漢字**』の詳細は215ページを参照）『**銀の漢字**』は入試に必須の漢字を精選してあります。書き取りと読みの問題は、『金の漢字』とは一切重複していません。

これから赤フィルターを使って『**銀の漢字**』を確認していってください。もし、不安が残る漢字が多いようなら、『**銀の漢字**』で復習してください。『**銀の漢字**』は語彙問題（対義語・類義語・同音異義語）も豊富なので、役に立つことでしょう。

なお『**銀の漢字**』のチェックテストの右端についているページ数は『**銀の漢字**』のものです。本書には『**銀の漢字**』は掲載されていません。

□ 挨拶	あいさつ	6
□ 曖昧	あいまい	26
□ 仰ぐ	あおぐ	46
□ 圧倒	あっとう	6
□ 暗黙	あんもく	6
□ 遺憾	いかん	6
□ 異議	いぎ	26
□ 威儀	いぎ	46
□ 委曲	いきょく	26
□ 遺産	いさん	46
□ 維持	いじ	6
□ 移植	いしょく	26
□ 異端	いたん	6
□ 逸脱	いつだつ	6
□ 遺伝	いでん	26
□ 畏怖	いふ	46
□ 息吹	いぶき	26
□ 戒める	いましめる	46
□ 異様	いよう	46
□ 因縁	いんねん	26

☐ 標榜	ひょうぼう	114		☐ 未曾有	みぞう	127
☐ 袋小路	ふくろこうじ	123		☐ 冥利	みょうり	124
☐ 耽る	ふける	123		☐ 寧ろ	むしろ	124
☐ 普請	ふしん	137		☐ 謀反	むほん	127
☐ 払拭	ふっしょく	137		☐ 脆い	もろい	134
☐ 払底	ふってい	123		☐ 揶揄	やゆ	115
☐ 懐手	ふところで	134		☐ 浴衣	ゆかた	115
☐ 侮蔑	ぶべつ	137		☐ 委ねる	ゆだねる	124
☐ 麓	ふもと	114		☐ 湯桶	ゆとう	132
☐ 無頼	ぶらい	137		☐ 緩める	ゆるめる	127
☐ 不埒	ふらち	132		☐ 夭折	ようせつ	115
☐ 蔑視	べっし	132		☐ 漸く	ようやく	137
☐ 偏愛	へんあい	123		☐ 擁立	ようりつ	117
☐ 放恣	ほうし	137		☐ 甦る	よみがえる	117
☐ 芳醇	ほうじゅん	127		☐ 蘇る	よみがえる	127
☐ 逢着	ほうちゃく	124		☐ 礼賛	らいさん	124
☐ 方便	ほうべん	124		☐ 拉致	らち	115
☐ 放埒	ほうらつ	124		☐ 爛熟	らんじゅく	137
☐ 煩悩	ぼんのう	137		☐ 凌駕	りょうが	115
☐ 奔放	ほんぽう	127		☐ 流謫	るたく	115
☐ 翻弄	ほんろう	114		☐ 緑青	ろくしょう	132
☐ 蒔絵	まきえ	114		☐ 矮小	わいしょう	127
☐ 末期	まつご	114		☐ 弁える	わきまえる	124
☐ 蔓延	まんえん	124		☐ 僅か	わずか	115
☐ 惨め	みじめ	115		☐ 患う	わずらう	124

□	鋳造	ちゅうぞう	113
□	紐帯	ちゅうたい	122
□	躊躇	ちゅうちょ	136
□	彫琢	ちょうたく	122
□	凋落	ちょうらく	136
□	鎮座	ちんざ	122
□	椿事	ちんじ	131
□	賃貸	ちんたい	122
□	継ぐ	つぐ	117
□	綴る	つづる	123
□	呟く	つぶやく	133
□	潰れる	つぶれる	136
□	体裁	ていさい	136
□	逓伝	ていでん	131
□	伝播	でんぱ	133
□	等閑	とうかん	123
□	慟哭	どうこく	131
□	盗賊	とうぞく	123
□	淘汰	とうた	126
□	瞠目	どうもく	123
□	陶冶	とうや	133
□	逗留	とうりゅう	132
□	遂げる	とげる	113
□	咄嗟	とっさ	113
□	途轍	とてつ	132
□	頓に	とみに	132
□	捉える	とらえる	134
□	内奥	ないおう	136
□	和む	なごむ	126
□	雪崩	なだれ	126
□	滑らか	なめらか	136
□	倣う	ならう	126
□	難渋	なんじゅう	137
□	柔和	にゅうわ	123
□	俄	にわか	113
□	懇ろ	ねんごろ	117
□	暖簾	のれん	126
□	背馳	はいち	114
□	剥奪	はくだつ	127
□	辱める	はずかしめる	114
□	跋扈	ばっこ	132
□	破天荒	はてんこう	123
□	甚だしい	はなはだしい	134
□	憚る	はばかる	127
□	阻む	はばむ	127
□	反駁	はんばく	114
□	惹く	ひく	114
□	魚籠	びく	132
□	庇護	ひご	114
□	必定	ひつじょう	137

☐ 羞恥	しゅうち	121	☐ 截然	せつぜん	112
☐ 取捨	しゅしゃ	117	☐ 詮索	せんさく	112
☐ 数珠	じゅず	111	☐ 先達	せんだつ	136
☐ 呪詛	じゅそ	111	☐ 羨望	せんぼう	126
☐ 出奔	しゅっぽん	111	☐ 相貌	そうぼう	136
☐ 逡巡	しゅんじゅん	130	☐ 咀嚼	そしゃく	112
☐ 峻別	しゅんべつ	112	☐ 唆す	そそのかす	113
☐ 装束	しょうぞく	112	☐ 対峙	たいじ	113
☐ 常套	じょうとう	126	☐ 大勢	たいせい	122
☐ 所詮	しょせん	126	☐ 堆積	たいせき	133
☐ 熾烈	しれつ	112	☐ 内裏	だいり	122
☐ 代物	しろもの	121	☐ 唾棄	だき	113
☐ 深淵	しんえん	121	☐ 長ける	たける	133
☐ 深奥	しんおう	112	☐ 黄昏	たそがれ	113
☐ 真摯	しんし	126	☐ 忽ち	たちまち	113
☐ 趨勢	すうせい	122	☐ 喩える	たとえる	131
☐ 凄い	すごい	112	☐ 掌	たなごころ	131
☐ 頗る	すこぶる	112	☐ 手向ける	たむける	131
☐ 煤ける	すすける	131	☐ 戯れる	たわむれる	117
☐ 脆弱	ぜいじゃく	135	☐ 箪笥	たんす	131
☐ 凄絶	せいぜつ	122	☐ 耽溺	たんでき	113
☐ 贅沢	ぜいたく	122	☐ 逐次	ちくじ	136
☐ 昔日	せきじつ	117	☐ 巷	ちまた	136
☐ 絶叫	ぜっきょう	122	☐ 緻密	ちみつ	131
☐ 殺生	せっしょう	112	☐ 嫡子	ちゃくし	131

□	極彩色	ごくさいしき	110
□	黒白	こくびゃく	129
□	滑稽	こっけい	125
□	忽然	こつぜん	110
□	鼓笛	こてき	120
□	悉く	ことごとく	129
□	殊更	ことさら	120
□	言霊	ことだま	135
□	殊に	ことに	110
□	諺	ことわざ	110
□	誤謬	ごびゅう	120
□	拱く	こまねく	129
□	勤行	ごんぎょう	120
□	建立	こんりゅう	125
□	災厄	さいやく	121
□	賢しい	さかしい	110
□	遡る	さかのぼる	135
□	囁く	ささやく	129
□	桟敷	さじき	110
□	昨今	さっこん	121
□	殺戮	さつりく	121
□	茶飯事	さはんじ	121
□	寂れる	さびれる	130
□	些末	さまつ	117
□	曝す	さらす	130
□	残滓	ざんし	130
□	惨憺	さんたん	130
□	山麓	さんろく	111
□	四囲	しい	121
□	恣意的	しいてき	125
□	屍	しかばね	111
□	時宜	じぎ	130
□	頻りに	しきりに	133
□	忸怩	じくじ	130
□	時雨	しぐれ	125
□	至極	しごく	111
□	滴る	したたる	135
□	桎梏	しっこく	111
□	叱責	しっせき	111
□	疾病	しっぺい	125
□	老舗	しにせ	111
□	凌ぐ	しのぐ	135
□	暫く	しばらく	111
□	捨象	しゃしょう	126
□	惹起	じゃっき	130
□	煮沸	しゃふつ	121
□	喋る	しゃべる	130
□	遮蔽	しゃへい	130
□	周縁	しゅうえん	121
□	蒐集	しゅうしゅう	135

☐ 謳歌	おうか	134	☐ 吉凶	きっきょう	129
☐ 大仰	おおぎょう	109	☐ 生粋	きっすい	109
☐ 怯える	おびえる	109	☐ 企図	きと	119
☐ 悔悟	かいご	119	☐ 詭弁	きべん	110
☐ 快哉	かいさい	135	☐ 肌理	きめ	129
☐ 恢復	かいふく	128	☐ 急遽	きゅうきょ	119
☐ 顧みる	かえりみる	133	☐ 境涯	きょうがい	117
☐ 画する	かくする	116	☐ 狂奔	きょうほん	135
☐ 隔世	かくせい	116	☐ 挙措	きょそ	133
☐ 愕然	がくぜん	128	☐ 際	きわ	135
☐ 神楽	かぐら	109	☐ 括る	くくる	129
☐ 翔る	かける	128	☐ 矩形	くけい	110
☐ 固唾	かたず	119	☐ 擽る	くすぐる	120
☐ 闊達	かったつ	116	☐ 駆逐	くちく	135
☐ 合致	がっち	119	☐ 覆る	くつがえる	117
☐ 喝破	かっぱ	116	☐ 稀有	けう	125
☐ 寡聞	かぶん	125	☐ 穢れる	けがれる	129
☐ 剃刀	かみそり	129	☐ 逆鱗	げきりん	120
☐ 噛む	かむ	109	☐ 解脱	げだつ	120
☐ 瓦礫	がれき	109	☐ 嫌疑	けんぎ	120
☐ 含意	がんい	116	☐ 喧伝	けんでん	110
☐ 甲高い	かんだかい	116	☐ 嚆矢	こうし	129
☐ 揮毫	きごう	119	☐ 高踏	こうとう	120
☐ 兆し	きざし	109	☐ 口吻	こうふん	110
☐ 忌憚	きたん	119	☐ 蒙る	こうむる	120

□	哀惜	あいせき	134
□	生憎	あいにく	118
□	暁	あかつき	115
□	購う	あがなう	108
□	欠伸	あくび	118
□	悪辣	あくらつ	118
□	漁る	あさる	132
□	校倉	あぜくら	128
□	予め	あらかじめ	134
□	粗筋	あらすじ	118
□	行脚	あんぎゃ	125
□	安穏	あんのん	125
□	鋳型	いがた	134
□	如何	いかん	108
□	粋	いき	108
□	憤る	いきどおる	134
□	意気地	いくじ	108
□	慰藉	いしゃ	128
□	意匠	いしょう	108
□	椅子	いす	108
□	悼む	いたむ	125
□	一喝	いっかつ	118
□	一蹴	いっしゅう	118
□	逸品	いっぴん	108
□	厭う	いとう	115

□	衣鉢	いはつ	128
□	苛立つ	いらだつ	108
□	遺漏	いろう	116
□	因循	いんじゅん	128
□	引導	いんどう	118
□	隠匿	いんとく	118
□	迂回	うかい	116
□	窺う	うかがう	109
□	穿つ	うがつ	108
□	蹲る	うずくまる	118
□	自惚れる	うぬぼれる	116
□	肯う	うべなう	128
□	膿	うみ	118
□	倦む	うむ	108
□	恭しい	うやうやしい	109
□	潤う	うるおう	119
□	迂路	うろ	119
□	云云	うんぬん	119
□	嬰児	えいじ	116
□	叡智	えいち	109
□	回向	えこう	128
□	会得	えとく	134
□	演繹	えんえき	128
□	淵源	えんげん	133
□	厭世	えんせい	133

☐ 了解	りょうかい	45	☐ 列挙	れっきょ	45
☐ 了見	りょうけん	89	☐ 連載	れんさい	45
☐ 臨終	りんじゅう	105	☐ 憐憫	れんびん	67
☐ 隣接	りんせつ	66	☐ 恋慕	れんぼ	105
☐ 倫理	りんり	75	☐ 練磨	れんま	105
☐ 累積	るいせき	66	☐ 連綿	れんめん	67
☐ 留守	るす	45	☐ 漏電	ろうでん	67
☐ 流転	るてん	105	☐ 露骨	ろこつ	45
☐ 冷酷	れいこく	105	☐ 路傍	ろぼう	105
☐ 冷徹	れいてつ	105	☐ 論及	ろんきゅう	105
☐ 冷凍	れいとう	66	☐ 枠	わく	67
☐ 歴然	れきぜん	75	☐ 侘しい	わびしい	67

□	優遇	ゆうぐう	65
□	幽玄	ゆうげん	44
□	融合	ゆうごう	87
□	憂愁	ゆうしゅう	65
□	誘致	ゆうち	87
□	悠長	ゆうちょう	45
□	誘発	ゆうはつ	75
□	幽閉	ゆうへい	65
□	雄弁	ゆうべん	65
□	猶予	ゆうよ	104
□	遊離	ゆうり	75
□	憂慮	ゆうりょ	104
□	融和	ゆうわ	45
□	誘惑	ゆうわく	88
□	愉快	ゆかい	104
□	譲る	ゆずる	65
□	輸送	ゆそう	65
□	癒着	ゆちゃく	88
□	揺れる	ゆれる	65
□	宵	よい	65
□	容易	ようい	45
□	溶液	ようえき	65
□	擁護	ようご	104
□	容赦	ようしゃ	104
□	要衝	ようしょう	66
□	養成	ようせい	104
□	様相	ようそう	75
□	容体	ようだい	104
□	幼稚	ようち	88
□	容認	ようにん	88
□	余暇	よか	66
□	余技	よぎ	88
□	余儀	よぎ	104
□	抑圧	よくあつ	88
□	抑制	よくせい	104
□	余情	よじょう	104
□	装う	よそおう	45
□	余地	よち	66
□	落胆	らくたん	66
□	羅列	られつ	88
□	濫用	らんよう	105
□	理屈	りくつ	45
□	履行	りこう	105
□	罹災	りさい	66
□	利潤	りじゅん	88
□	律儀	りちぎ	88
□	理不尽	りふじん	75
□	溜飲	りゅういん	66
□	流儀	りゅうぎ	88
□	領域	りょういき	66

□ 補佐	ほさ	43		□ 無残	むざん	64
□ 保障	ほしょう	43		□ 無償	むしょう	75
□ 保証	ほしょう	43		□ 無節操	むせっそう	103
□ 補償	ほしょう	44		□ 無造作	むぞうさ	87
□ 舗装	ほそう	74		□ 無駄	むだ	44
□ 発起	ほっき	63		□ 無謀	むぼう	87
□ 勃興	ぼっこう	44		□ 銘記	めいき	103
□ 捕虜	ほりょ	63		□ 冥想	めいそう	64
□ 凡庸	ぼんよう	103		□ 冥福	めいふく	64
□ 枚挙	まいきょ	103		□ 盟友	めいゆう	64
□ 任せる	まかせる	44		□ 明瞭	めいりょう	103
□ 魔術	まじゅつ	63		□ 迷惑	めいわく	75
□ 瞬く	またたく	103		□ 免除	めんじょ	64
□ 抹殺	まっさつ	74		□ 面倒	めんどう	87
□ 免れる	まぬがれる	87		□ 盲従	もうじゅう	44
□ 漫画	まんが	44		□ 毛頭	もうとう	103
□ 満喫	まんきつ	74		□ 網羅	もうら	75
□ 慢性	まんせい	63		□ 戻る	もどる	64
□ 磨く	みがく	44		□ 模様	もよう	64
□ 微塵	みじん	63		□ 貰う	もらう	64
□ 魅力	みりょく	44		□ 漏れる	もれる	64
□ 未練	みれん	44		□ 躍動	やくどう	64
□ 魅惑	みわく	87		□ 野蛮	やばん	87
□ 無為	むい	103		□ 誘拐	ゆうかい	65
□ 無縁	むえん	74		□ 勇敢	ゆうかん	75

□	沸騰	ふっとう	73
□	舞踏	ぶとう	61
□	赴任	ふにん	73
□	腐敗	ふはい	86
□	普遍	ふへん	73
□	不毛	ふもう	43
□	扶養	ふよう	62
□	分岐	ぶんき	62
□	文献	ぶんけん	102
□	粉砕	ふんさい	43
□	紛失	ふんしつ	102
□	分析	ぶんせき	86
□	奮闘	ふんとう	43
□	分裂	ぶんれつ	102
□	弊害	へいがい	102
□	平衡	へいこう	102
□	閉口	へいこう	102
□	閉鎖	へいさ	43
□	閉塞	へいそく	62
□	変換	へんかん	62
□	偏狭	へんきょう	74
□	偏見	へんけん	86
□	変幻	へんげん	62
□	返済	へんさい	62
□	変質	へんしつ	62
□	編集	へんしゅう	62
□	変遷	へんせん	102
□	偏重	へんちょう	86
□	変貌	へんぼう	74
□	片鱗	へんりん	86
□	遍歴	へんれき	102
□	包含	ほうがん	74
□	放棄	ほうき	74
□	方策	ほうさく	62
□	忙殺	ぼうさつ	74
□	奉仕	ほうし	62
□	豊穣	ほうじょう	63
□	傍証	ぼうしょう	74
□	飽食	ほうしょく	43
□	包摂	ほうせつ	103
□	防戦	ぼうせん	63
□	呆然	ぼうぜん	86
□	放逐	ほうちく	63
□	膨張	ぼうちょう	86
□	報復	ほうふく	63
□	泡沫	ほうまつ	63
□	抱擁	ほうよう	43
□	補完	ほかん	87
□	墨守	ぼくしゅ	103
□	撲滅	ぼくめつ	87

☐ 省く	はぶく	101	☐ 秘密	ひみつ	42
☐ 腫れる	はれる	59	☐ 描写	びょうしゃ	60
☐ 繁栄	はんえい	42	☐ 表象	ひょうしょう	101
☐ 反映	はんえい	42	☐ 病棟	びょうとう	60
☐ 煩雑	はんざつ	101	☐ 漂泊	ひょうはく	73
☐ 判然	はんぜん	59	☐ 便乗	びんじょう	60
☐ 伴奏	ばんそう	59	☐ 頻発	ひんぱつ	101
☐ 半端	はんぱ	59	☐ 風潮	ふうちょう	60
☐ 反復	はんぷく	42	☐ 不穏	ふおん	102
☐ 煩悶	はんもん	101	☐ 負荷	ふか	60
☐ 悲哀	ひあい	73	☐ 不可欠	ふかけつ	42
☐ 被害	ひがい	59	☐ 不可避	ふかひ	73
☐ 控える	ひかえる	59	☐ 不可分	ふかぶん	42
☐ 卑近	ひきん	101	☐ 俯瞰	ふかん	61
☐ 卑下	ひげ	86	☐ 福祉	ふくし	61
☐ 批准	ひじゅん	59	☐ 覆水	ふくすい	43
☐ 肥大	ひだい	59	☐ 複製	ふくせい	61
☐ 悲嘆	ひたん	60	☐ 扶助	ふじょ	61
☐ 必至	ひっし	101	☐ 不詳	ふしょう	61
☐ 逼塞	ひっそく	60	☐ 侮辱	ぶじょく	86
☐ 筆致	ひっち	60	☐ 不審	ふしん	61
☐ 否認	ひにん	73	☐ 腐心	ふしん	102
☐ 批判	ひはん	60	☐ 付属	ふぞく	61
☐ 批評	ひひょう	42	☐ 負担	ふたん	61
☐ 疲弊	ひへい	60	☐ 物騒	ぶっそう	61

☐ 到底	とうてい	57
☐ 透徹	とうてつ	100
☐ 盗難	とうなん	57
☐ 当否	とうひ	85
☐ 豆腐	とうふ	57
☐ 同胞	どうほう	57
☐ 透明	とうめい	100
☐ 到来	とうらい	57
☐ 特殊	とくしゅ	57
☐ 独創	どくそう	85
☐ 特徴	とくちょう	41
☐ 土壌	どじょう	73
☐ 途端	とたん	41
☐ 突飛	とっぴ	41
☐ 途方	とほう	100
☐ 乏しい	とぼしい	85
☐ 伴う	ともなう	41
☐ 鈍磨	どんま	57
☐ 内省	ないせい	58
☐ 内包	ないほう	58
☐ 慰める	なぐさめる	58
☐ 嘆く	なげく	100
☐ 懐かしい	なつかしい	100
☐ 肉薄	にくはく	58
☐ 濁す	にごす	58
☐ 任意	にんい	41
☐ 忍従	にんじゅう	41
☐ 忍耐	にんたい	100
☐ 年功	ねんこう	58
☐ 捻出	ねんしゅつ	100
☐ 徘徊	はいかい	58
☐ 廃棄	はいき	41
☐ 廃止	はいし	100
☐ 賠償	ばいしょう	86
☐ 陪審	ばいしん	58
☐ 排斥	はいせき	101
☐ 排他的	はいたてき	41
☐ 培養	ばいよう	101
☐ 破壊	はかい	41
☐ 図る	はかる	41
☐ 迫害	はくがい	42
☐ 博識	はくしき	73
☐ 漠然	ばくぜん	73
☐ 舶来	はくらい	42
☐ 挟む	はさむ	42
☐ 派生	はせい	58
☐ 鉢	はち	58
☐ 伐採	ばっさい	59
☐ 抜擢	ばってき	59
☐ 発露	はつろ	101

☐	徴収	ちょうしゅう	55	☐	提唱	ていしょう	99
☐	嘲笑	ちょうしょう	39	☐	抵触	ていしょく	99
☐	挑戦	ちょうせん	85	☐	諦念	ていねん	99
☐	挑発	ちょうはつ	85	☐	低迷	ていめい	56
☐	重宝	ちょうほう	99	☐	適宜	てきぎ	40
☐	眺望	ちょうぼう	85	☐	摘出	てきしゅつ	56
☐	弔問	ちょうもん	72	☐	摘発	てきはつ	40
☐	鎮圧	ちんあつ	55	☐	転移	てんい	56
☐	沈潜	ちんせん	99	☐	転機	てんき	85
☐	沈殿	ちんでん	55	☐	典型	てんけい	72
☐	沈黙	ちんもく	40	☐	添削	てんさく	56
☐	陳列	ちんれつ	55	☐	伝承	でんしょう	85
☐	追憶	ついおく	40	☐	点滴	てんてき	56
☐	追求	ついきゅう	40	☐	転覆	てんぷく	56
☐	追及	ついきゅう	40	☐	展覧	てんらん	56
☐	追跡	ついせき	40	☐	統一	とういつ	56
☐	費やす	ついやす	85	☐	頭角	とうかく	56
☐	墜落	ついらく	99	☐	統括	とうかつ	99
☐	償う	つぐなう	40	☐	投機	とうき	57
☐	紡ぐ	つむぐ	72	☐	統御	とうぎょ	100
☐	提起	ていき	55	☐	倒錯	とうさく	85
☐	提携	ていけい	99	☐	透視	とうし	100
☐	締結	ていけつ	40	☐	陶磁器	とうじき	57
☐	抵抗	ていこう	40	☐	踏襲	とうしゅう	72
☐	偵察	ていさつ	56	☐	闘争	とうそう	57

□	粗末	そまつ	83
□	粗野	そや	83
□	存外	ぞんがい	84
□	尊厳	そんげん	72
□	耐久	たいきゅう	54
□	対極	たいきょく	54
□	太古	たいこ	38
□	滞在	たいざい	38
□	代謝	たいしゃ	39
□	貸借	たいしゃく	72
□	対象	たいしょう	39
□	態勢	たいせい	54
□	泰然	たいぜん	54
□	代替	だいたい	98
□	大胆	だいたん	39
□	退廃	たいはい	98
□	怠慢	たいまん	98
□	堪える	たえる	38
□	多岐	たき	98
□	卓越	たくえつ	84
□	託宣	たくせん	39
□	尋ねる	たずねる	39
□	惰性	だせい	39
□	佇まい	たたずまい	54
□	漂う	ただよう	98
□	脱却	だっきゃく	84
□	打倒	だとう	54
□	妥当	だとう	84
□	魂	たましい	98
□	黙る	だまる	54
□	垂れる	たれる	38
□	担架	たんか	54
□	弾劾	だんがい	98
□	探求	たんきゅう	39
□	端緒	たんしょ	84
□	談笑	だんしょう	39
□	丹精	たんせい	54
□	担当	たんとう	55
□	知己	ちき	99
□	逐一	ちくいち	84
□	知見	ちけん	55
□	稚拙	ちせつ	99
□	窒息	ちっそく	55
□	致命的	ちめいてき	84
□	宙	ちゅう	55
□	仲介	ちゅうかい	84
□	中傷	ちゅうしょう	39
□	抽象	ちゅうしょう	84
□	中庸	ちゅうよう	55
□	超越	ちょうえつ	84

☐ 是認	ぜにん	71	☐ 想像	そうぞう	38
☐ 台詞	せりふ	52	☐ 相対	そうたい	53
☐ 専攻	せんこう	52	☐ 壮大	そうだい	53
☐ 漸次	ぜんじ	83	☐ 装置	そうち	72
☐ 漸進	ぜんしん	52	☐ 荘重	そうちょう	72
☐ 宣誓	せんせい	52	☐ 想定	そうてい	97
☐ 喘息	ぜんそく	37	☐ 贈呈	ぞうてい	53
☐ 選択肢	せんたくし	52	☐ 挿入	そうにゅう	53
☐ 船舶	せんぱく	52	☐ 増幅	ぞうふく	38
☐ 浅薄	せんぱく	97	☐ 聡明	そうめい	98
☐ 全幅	ぜんぷく	37	☐ 添える	そえる	53
☐ 旋律	せんりつ	83	☐ 阻害	そがい	53
☐ 総意	そうい	37	☐ 即座	そくざ	53
☐ 相違	そうい	37	☐ 属性	ぞくせい	83
☐ 想起	そうき	71	☐ 束縛	そくばく	72
☐ 雑木林	ぞうきばやし	37	☐ 仄聞	そくぶん	53
☐ 造詣	ぞうけい	52	☐ 素材	そざい	38
☐ 双肩	そうけん	52	☐ 粗雑	そざつ	83
☐ 相互	そうご	38	☐ 阻止	そし	53
☐ 相克	そうこく	97	☐ 訴訟	そしょう	83
☐ 荘厳	そうごん	71	☐ 租税	そぜい	98
☐ 相殺	そうさい	97	☐ 礎石	そせき	72
☐ 捜索	そうさく	52	☐ 阻喪	そそう	53
☐ 創出	そうしゅつ	38	☐ 粗相	そそう	54
☐ 宗匠	そうしょう	38	☐ 措定	そてい	98

□	浸食	しんしょく	71
□	浸水	しんすい	32
□	心酔	しんすい	71
□	真髄	しんずい	50
□	親戚	しんせき	32
□	迅速	じんそく	97
□	甚大	じんだい	50
□	慎重	しんちょう	36
□	進呈	しんてい	32
□	審美	しんび	32
□	信奉	しんぽう	82
□	親睦	しんぼく	32
□	侵略	しんりゃく	32
□	尽力	じんりょく	36
□	推挙	すいきょ	50
□	推敲	すいこう	71
□	推薦	すいせん	32
□	水槽	すいそう	50
□	水筒	すいとう	32
□	随筆	ずいひつ	50
□	随分	ずいぶん	32
□	数奇	すうき	50
□	枢軸	すうじく	82
□	隙間	すきま	33
□	薦める	すすめる	36
□	勧める	すすめる	36
□	素敵	すてき	51
□	素直	すなお	37
□	成員	せいいん	37
□	生起	せいき	97
□	清潔	せいけつ	82
□	制裁	せいさい	37
□	精細	せいさい	83
□	政策	せいさく	51
□	凄惨	せいさん	51
□	静粛	せいしゅく	51
□	整序	せいじょ	51
□	精髄	せいずい	97
□	生成	せいせい	83
□	精度	せいど	51
□	静謐	せいひつ	51
□	精密	せいみつ	51
□	制約	せいやく	37
□	析出	せきしゅつ	51
□	積年	せきねん	51
□	世相	せそう	37
□	折衝	せっしょう	97
□	接触	せっしょく	83
□	切迫	せっぱく	52
□	拙劣	せつれつ	97

☐ 出自	しゅつじ	29	☐ 承諾	しょうだく	31
☐ 呪縛	じゅばく	81	☐ 焦点	しょうてん	71
☐ 趣味	しゅみ	29	☐ 譲渡	じょうと	96
☐ 需要	じゅよう	36	☐ 承認	しょうにん	31
☐ 狩猟	しゅりょう	29	☐ 譲歩	じょうほ	82
☐ 瞬間	しゅんかん	29	☐ 賞味	しょうみ	31
☐ 準拠	じゅんきょ	81	☐ 消滅	しょうめつ	82
☐ 潤沢	じゅんたく	81	☐ 消耗	しょうもう	31
☐ 順応	じゅんのう	96	☐ 渉猟	しょうりょう	82
☐ 止揚	しよう	30	☐ 嘱望	しょくぼう	36
☐ 滋養	じよう	81	☐ 徐行	じょこう	31
☐ 掌握	しょうあく	30	☐ 書斎	しょさい	31
☐ 照応	しょうおう	81	☐ 所産	しょさん	96
☐ 浄化	じょうか	96	☐ 助長	じょちょう	31
☐ 生涯	しょうがい	82	☐ 序盤	じょばん	50
☐ 召喚	しょうかん	30	☐ 所与	しょよ	96
☐ 常軌	じょうき	71	☐ 磁力	じりょく	31
☐ 称号	しょうごう	30	☐ 素人	しろうと	96
☐ 詳細	しょうさい	30	☐ 深遠	しんえん	31
☐ 賞賛	しょうさん	30	☐ 真偽	しんぎ	82
☐ 照準	しょうじゅん	30	☐ 仁義	じんぎ	31
☐ 醸成	じょうせい	82	☐ 深更	しんこう	32
☐ 定石	じょうせき	30	☐ 新興	しんこう	97
☐ 醸造	じょうぞう	30	☐ 辛酸	しんさん	82
☐ 常態	じょうたい	30	☐ 尋常	じんじょう	71

□	識者	しきしゃ	50
□	敷地	しきち	26
□	志向	しこう	26
□	至高	しこう	80
□	嗜好	しこう	95
□	子細	しさい	50
□	支持	しじ	26
□	資質	ししつ	26
□	支障	ししょう	36
□	至上	しじょう	26
□	事象	じしょう	27
□	指針	ししん	27
□	自責	じせき	27
□	肢体	したい	27
□	慕う	したう	81
□	指弾	しだん	27
□	自重	じちょう	27
□	疾患	しっかん	27
□	漆黒	しっこく	81
□	湿潤	しつじゅん	71
□	実践	じっせん	27
□	疾走	しっそう	81
□	慈悲	じひ	95
□	自負	じふ	27
□	思弁	しべん	96

□	脂肪	しぼう	27
□	自慢	じまん	96
□	占める	しめる	26
□	耳目	じもく	28
□	諮問	しもん	28
□	謝罪	しゃざい	28
□	射程	しゃてい	28
□	斜陽	しゃよう	28
□	醜悪	しゅうあく	28
□	縦横	じゅうおう	96
□	修辞	しゅうじ	28
□	従事	じゅうじ	28
□	収拾	しゅうしゅう	36
□	従順	じゅうじゅん	28
□	集積	しゅうせき	96
□	修繕	しゅうぜん	81
□	十全	じゅうぜん	28
□	収奪	しゅうだつ	29
□	周知	しゅうち	29
□	周到	しゅうとう	50
□	修復	しゅうふく	29
□	珠玉	しゅぎょく	81
□	宿命	しゅくめい	29
□	熟練	じゅくれん	29
□	趣旨	しゅし	29

□	骨子	こっし	24
□	鼓動	こどう	49
□	湖畔	こはん	49
□	娯楽	ごらく	35
□	顧慮	こりょ	94
□	懲りる	こりる	24
□	懇意	こんい	24
□	根幹	こんかん	80
□	根源	こんげん	94
□	渾身	こんしん	94
□	懇切	こんせつ	24
□	渾然	こんぜん	80
□	混濁	こんだく	49
□	魂胆	こんたん	80
□	昆虫	こんちゅう	24
□	差異	さい	25
□	歳時記	さいじき	25
□	細心	さいしん	49
□	裁断	さいだん	95
□	裁量	さいりょう	95
□	遮る	さえぎる	80
□	詐欺	さぎ	70
□	作為	さくい	95
□	索引	さくいん	25
□	錯誤	さくご	80
□	搾取	さくしゅ	95
□	削除	さくじょ	25
□	錯綜	さくそう	95
□	索漠	さくばく	49
□	策略	さくりゃく	25
□	避ける	さける	25
□	挫折	ざせつ	95
□	誘う	さそう	25
□	撮影	さつえい	25
□	刷新	さっしん	70
□	察知	さっち	80
□	悟る	さとる	36
□	作法	さほう	25
□	爽やか	さわやか	25
□	散逸	さんいつ	36
□	残虐	ざんぎゃく	49
□	参照	さんしょう	49
□	山積	さんせき	26
□	暫定	ざんてい	70
□	賛美	さんび	26
□	三昧	ざんまい	26
□	散漫	さんまん	26
□	参与	さんよ	95
□	思惟	しい	95
□	弛緩	しかん	70

□	交換	こうかん	22
□	傲岸	ごうがん	94
□	綱紀	こうき	48
□	抗議	こうぎ	22
□	広義	こうぎ	22
□	講義	こうぎ	79
□	号泣	ごうきゅう	79
□	厚遇	こうぐう	22
□	攻撃	こうげき	35
□	豪傑	ごうけつ	48
□	巧言	こうげん	94
□	行使	こうし	22
□	控除	こうじょ	22
□	交渉	こうしょう	79
□	考証	こうしょう	94
□	恒常	こうじょう	22
□	功績	こうせき	22
□	控訴	こうそ	48
□	抗争	こうそう	35
□	構造	こうぞう	23
□	紅潮	こうちょう	35
□	肯定	こうてい	79
□	拘泥	こうでい	94
□	更迭	こうてつ	79
□	高騰	こうとう	79
□	購読	こうどく	35
□	荒廃	こうはい	79
□	購買	こうばい	23
□	勾配	こうばい	23
□	広範	こうはん	70
□	降伏	こうふく	49
□	抗弁	こうべん	23
□	被る	こうむる	23
□	効用	こうよう	23
□	恒例	こうれい	23
□	呼応	こおう	23
□	小柄	こがら	23
□	顧客	こきゃく	23
□	酷似	こくじ	80
□	国是	こくぜ	49
□	穀倉	こくそう	24
□	極秘	ごくひ	24
□	克服	こくふく	80
□	克明	こくめい	94
□	孤高	ここう	49
□	誇示	こじ	80
□	固執	こしつ	24
□	故障	こしょう	24
□	呼称	こしょう	94
□	誇張	こちょう	24

☐ 形骸	けいがい	19	☐ 幻影	げんえい	21
☐ 景観	けいかん	20	☐ 懸隔	けんかく	78
☐ 継起	けいき	93	☐ 言及	げんきゅう	93
☐ 警句	けいく	20	☐ 元凶	げんきょう	93
☐ 渓谷	けいこく	20	☐ 権限	けんげん	21
☐ 警告	けいこく	78	☐ 顕現	けんげん	70
☐ 啓示	けいじ	93	☐ 原稿	げんこう	21
☐ 警鐘	けいしょう	35	☐ 言辞	げんじ	48
☐ 形勢	けいせい	93	☐ 堅実	けんじつ	21
☐ 形跡	けいせき	93	☐ 謙譲	けんじょう	21
☐ 携帯	けいたい	78	☐ 現象	げんしょう	78
☐ 傾聴	けいちょう	78	☐ 厳然	げんぜん	21
☐ 軽薄	けいはく	20	☐ 現前	げんぜん	70
☐ 啓発	けいはつ	78	☐ 喧騒	けんそう	79
☐ 軽蔑	けいべつ	78	☐ 検討	けんとう	48
☐ 契約	けいやく	78	☐ 賢明	けんめい	21
☐ 経由	けいゆ	20	☐ 懸命	けんめい	93
☐ 劇的	げきてき	20	☐ 言明	げんめい	21
☐ 激励	げきれい	20	☐ 幻滅	げんめつ	79
☐ 化粧	けしょう	20	☐ 倹約	けんやく	21
☐ 欠陥	けっかん	93	☐ 兼用	けんよう	48
☐ 傑出	けっしゅつ	48	☐ 語彙	ごい	94
☐ 欠乏	けつぼう	20	☐ 交易	こうえき	22
☐ 気配	けはい	20	☐ 硬化	こうか	79
☐ 懸案	けんあん	21	☐ 郊外	こうがい	22

□	狭義	きょうぎ	92
□	行儀	ぎょうぎ	34
□	教唆	きょうさ	92
□	凝視	ぎょうし	34
□	凝縮	ぎょうしゅく	34
□	恭順	きょうじゅん	92
□	境地	きょうち	17
□	共鳴	きょうめい	17
□	享楽	きょうらく	17
□	強烈	きょうれつ	18
□	虚栄	きょえい	18
□	虚偽	きょぎ	69
□	極致	きょくち	77
□	虚飾	きょしょく	77
□	巨万	きょまん	18
□	虚無	きょむ	18
□	許容	きょよう	92
□	去来	きょらい	18
□	器量	きりょう	18
□	儀礼	ぎれい	18
□	亀裂	きれつ	18
□	帰路	きろ	92
□	疑惑	ぎわく	18
□	菌	きん	18
□	近郊	きんこう	19
□	謹慎	きんしん	35
□	均整	きんせい	70
□	琴線	きんせん	48
□	緊迫	きんぱく	78
□	緊密	きんみつ	70
□	空虚	くうきょ	78
□	空疎	くうそ	70
□	空洞	くうどう	19
□	偶発	ぐうはつ	19
□	寓話	ぐうわ	35
□	具現化	ぐげんか	48
□	癖	くせ	19
□	管	くだ	35
□	愚痴	ぐち	92
□	朽ちる	くちる	92
□	屈託	くったく	19
□	功徳	くどく	92
□	具備	ぐび	48
□	工夫	くふう	19
□	愚劣	ぐれつ	19
□	愚弄	ぐろう	93
□	訓戒	くんかい	19
□	薫陶	くんとう	93
□	君臨	くんりん	19
□	警戒	けいかい	35

☐ 官僚	かんりょう	91		☐ 帰着	きちゃく	16
☐ 軌	き	14		☐ 基調	きちょう	16
☐ 起因	きいん	14		☐ 拮抗	きっこう	16
☐ 帰依	きえ	91		☐ 詰問	きつもん	77
☐ 記憶	きおく	15		☐ 基底	きてい	16
☐ 戯画	ぎが	77		☐ 規定	きてい	77
☐ 奇怪	きかい	15		☐ 機転	きてん	16
☐ 気概	きがい	15		☐ 軌道	きどう	17
☐ 企画	きかく	15		☐ 危篤	きとく	17
☐ 帰還	きかん	15		☐ 祈念	きねん	17
☐ 疑義	ぎぎ	15		☐ 機能	きのう	69
☐ 希求	ききゅう	77		☐ 機敏	きびん	34
☐ 危惧	きぐ	15		☐ 起伏	きふく	17
☐ 棄権	きけん	15		☐ 肝	きも	91
☐ 危険	きけん	15		☐ 規約	きやく	17
☐ 期限	きげん	15		☐ 逆説	ぎゃくせつ	34
☐ 機嫌	きげん	77		☐ 虐待	ぎゃくたい	77
☐ 技巧	ぎこう	16		☐ 脚光	きゃっこう	34
☐ 記載	きさい	16		☐ 窮屈	きゅうくつ	69
☐ 既成	きせい	69		☐ 休憩	きゅうけい	17
☐ 毅然	きぜん	91		☐ 糾弾	きゅうだん	77
☐ 偽善	ぎぜん	16		☐ 窮地	きゅうち	91
☐ 起草	きそう	47		☐ 窮乏	きゅうぼう	92
☐ 規則	きそく	16		☐ 窮余	きゅうよ	92
☐ 機知	きち	16		☐ 丘陵	きゅうりょう	17

□	過疎	かそ	76
□	過多	かた	12
□	偏る	かたよる	12
□	仮託	かたく	90
□	加担	かたん	13
□	割拠	かっきょ	13
□	確固	かっこ	13
□	格好	かっこう	90
□	合掌	がっしょう	13
□	活路	かつろ	13
□	糧	かて	90
□	過程	かてい	13
□	稼動	かどう	47
□	過不足	かふそく	13
□	寡黙	かもく	13
□	殻	から	47
□	可憐	かれん	90
□	勘案	かんあん	69
□	看過	かんか	13
□	間隔	かんかく	69
□	歓喜	かんき	76
□	緩急	かんきゅう	76
□	歓迎	かんげい	69
□	間隙	かんげき	90
□	頑固	がんこ	76
□	監獄	かんごく	34
□	看取	かんしゅ	76
□	緩衝	かんしょう	76
□	感傷	かんしょう	76
□	観照	かんしょう	91
□	頑丈	がんじょう	13
□	感触	かんしょく	91
□	敢然	かんぜん	91
□	簡素	かんそ	14
□	乾燥	かんそう	69
□	寛大	かんだい	14
□	間断	かんだん	47
□	監督	かんとく	14
□	感得	かんとく	76
□	観念	かんねん	14
□	看破	かんぱ	14
□	間髪	かんはつ	47
□	完膚	かんぷ	69
□	完璧	かんぺき	69
□	緩慢	かんまん	91
□	感銘	かんめい	77
□	頑迷	がんめい	91
□	勧誘	かんゆう	14
□	慣用	かんよう	14
□	官吏	かんり	14

☐ 憶測	おくそく	10		☐ 回避	かいひ	34
☐ 趣	おもむき	10		☐ 界隈	かいわい	90
☐ 赴く	おもむく	68		☐ 瓦解	がかい	11
☐ 思惑	おもわく	10		☐ 果敢	かかん	68
☐ 穏健	おんけん	10		☐ 佳境	かきょう	47
☐ 恩赦	おんしゃ	33		☐ 架空	かくう	68
☐ 温存	おんぞん	89		☐ 画策	かくさく	90
☐ 音痴	おんち	46		☐ 拡散	かくさん	68
☐ 穏便	おんびん	46		☐ 核心	かくしん	11
☐ 概括	がいかつ	10		☐ 確信	かくしん	34
☐ 皆既	かいき	10		☐ 画然	かくぜん	47
☐ 懐旧	かいきゅう	11		☐ 格段	かくだん	12
☐ 皆勤	かいきん	11		☐ 格闘	かくとう	76
☐ 懐古	かいこ	11		☐ 額縁	がくぶち	12
☐ 介護	かいご	11		☐ 格別	かくべつ	12
☐ 開墾	かいこん	90		☐ 確立	かくりつ	12
☐ 開催	かいさい	11		☐ 崖	がけ	47
☐ 会心	かいしん	46		☐ 加減	かげん	12
☐ 慨する	がいする	10		☐ 過誤	かご	12
☐ 解析	かいせき	90		☐ 過言	かごん	76
☐ 回想	かいそう	11		☐ 我執	がしゅう	47
☐ 海賊	かいぞく	47		☐ 過剰	かじょう	68
☐ 慨嘆	がいたん	90		☐ 過信	かしん	12
☐ 懐中	かいちゅう	11		☐ 稼ぐ	かせぐ	34
☐ 街頭	がいとう	11		☐ 寡占	かせん	12

□	為政	いせい	7
□	依然	いぜん	33
□	依存	いそん	33
□	委託	いたく	7
□	一概に	いちがいに	7
□	一括	いっかつ	89
□	一貫	いっかん	7
□	一環	いっかん	7
□	一挙	いっきょ	67
□	慈しむ	いつくしむ	7
□	一切	いっさい	89
□	一瞬	いっしゅん	8
□	一斉	いっせい	8
□	一掃	いっそう	8
□	一端	いったん	8
□	逸話	いつわ	67
□	挑む	いどむ	8
□	異変	いへん	8
□	癒す	いやす	8
□	否応	いやおう	68
□	依頼	いらい	8
□	医療	いりょう	68
□	慰霊	いれい	46
□	彩る	いろどる	89
□	違和感	いわかん	8
□	因果	いんが	68
□	陰惨	いんさん	68
□	陰湿	いんしつ	8
□	因習	いんしゅう	9
□	隠棲	いんせい	46
□	隠微	いんび	68
□	有無	うむ	9
□	憂い	うれい	9
□	嬉しい	うれしい	46
□	鋭意	えいい	9
□	栄冠	えいかん	9
□	英断	えいだん	9
□	鋭敏	えいびん	33
□	謁見	えっけん	33
□	偉い	えらい	9
□	襟	えり	9
□	宴会	えんかい	9
□	遠征	えんせい	46
□	援用	えんよう	89
□	帯びる	おびる	9
□	往往に	おうおうに	10
□	往還	おうかん	46
□	奥義	おうぎ	89
□	旺盛	おうせい	10
□	横柄	おうへい	10

チェックテストを120％活用しよう

「チェックテスト」は、本書に掲載した「書き取り」と「読み」を赤字にして、50音順にまとめたものです。

同音の漢字や別の読み方があるものもあります。その場合は、必ず掲載ページの例文に戻って復習しましょう。また、国語辞典を活用して、漢字には多くの使い方があることを理解しましょう。

□	愛惜	あいせき	67	□	意外	いがい	6
□	相棒	あいぼう	46	□	威嚇	いかく	89
□	諦める	あきらめる	89	□	衣冠	いかん	46
□	圧巻	あっかん	6	□	遺棄	いき	89
□	圧搾	あっさく	6	□	依拠	いきょ	67
□	侮る	あなどる	6	□	畏敬	いけい	6
□	暴く	あばく	33	□	威光	いこう	7
□	安易	あんい	6	□	意向	いこう	7
□	案外	あんがい	6	□	移行	いこう	7
□	安閑	あんかん	33	□	委嘱	いしょく	33
□	安泰	あんたい	6	□	維新	いしん	33
□	安寧	あんねい	6	□	威信	いしん	67
□	威圧	いあつ	6	□	威勢	いせい	7

チェックテスト

赤フィルターを使い、効率よく復習しましょう。チェック欄を活用し、繰り返し復習することが重要です。『銀の漢字（詳細は215ページ）』の掲載分も載せています。両方完璧にすれば、最強となることでしょう。

（右端の数字は掲載ページを示しています）

金の漢字

漢字を**得点源**にする1冊!

漢字の学習をこれから始めようと思っている人は『銀の漢字』！ 徹底的にマスターすれば、漢字があなたの武器になります。語彙問題も豊富なので、漢字力を強化するだけでなく、語彙力養成にも必須の漢字本です！

銀の漢字 必須編
定価(本体600円+税)

銀の漢字 目次

書き取り
- A問題 200 ... 6
- B問題 200 ... 26
- C問題 120 ... 46

読み
- A問題 100 ... 60
- B問題 100 ... 70
- C問題 100 ... 80

語彙問題
- 四字熟語 100 ... 92
- 同音異義語 200 ... 100
- 対義語・類義語 80 ... 120

チェックテスト
- 銀の漢字 書き取り ... 147
- 銀の漢字 読み ... 136

※書き取り・読み・四字熟語は『金の漢字』との重複はありません。

出口 汪 （でぐち・ひろし）

関西学院大学大学院文学研究科博士課程単位取得退学。広島女学院大学客員教授、出口式みらい学習教室主宰。現代文講師として、入試問題を「論理」で読解するスタイルに先鞭をつけ、受験生から絶大なる支持を得る。そして、論理力を養成する画期的なプログラム「論理エンジン」を開発、多くの学校に採用されている。現在は受験界のみならず、大学・一般向けの講演や中学・高校教員の指導など、活動は多岐にわたり、教育界に次々と新機軸を打ち立てている。著書に『出口汪の「最強！」シリーズ』『日本語力 人生を変える最強メソッド』『出口のシステム現代文シリーズ』『論理でわかる現代文シリーズ』『システム中学国語シリーズ』（以上、水王舎）など多数。

■水王舎の最新情報はこちら
https://suiohsha.co.jp

金の漢字　最強編

2010年3月14日　初版　第1刷発行
2025年4月15日　　　　　第13刷発行

著　者　出口　汪
発行者　出口　汪
発行所　株式会社　水王舎
　　　　〒561-0882　大阪府豊中市南桜塚1-12-19
　　　　TEL 080-3442-8230
　　　　ホームページ https://suiohsha.co.jp
印刷所　日之出印刷
製本所　穴口製本所

乱丁本・落丁本はお取り替えいたします。
本書の無断転載、複製、複写（コピー）、翻訳を禁じます。本書を代行業者等の第三者に依頼してスキャンやデジタル化することは、たとえ個人や家庭内の利用であっても、著作権上認められておりません。
©Hiroshi Deguchi 2010 Printed in Japan
ISBN978-4-921211-19-6